ÉLÉMENTAIRE,
MON CHER VOLTAIRE !

DU MÊME AUTEUR

Les Fous de Guernesey ou les Amateurs de littérature, Robert
    Laffont, 1991.
L'Ami du genre humain, Robert Laffont, 1993.
L'Odyssée d'Abounaparti, Robert Laffont, 1995.
Mlle Chon du Barry, Robert Laffont, 1996.
Les Princesses vagabondes, Lattès, 1998.
La Jeune Fille et le Philosophe, Fayard, 2000.
Un beau captif, Fayard, 2001.
La Pension Belhomme, une prison de luxe sous la Terreur,
    Fayard, 2002.
Douze Tyrans minuscules, les policiers de Paris sous la Terreur,
    Fayard, 2003.
L'Orphelin de la Bastille, tomes 1 à 5, Milan, 2002-2006.
Les Nouvelles Enquêtes du juge Ti, tomes 1 à 19, Fayard et
    Points Seuil, 2004-2011.
La baronne meurt à cinq heures, Lattès, 2011, Labyrinthes,
    2012.
Meurtre dans le boudoir, Lattès, 2012, Labyrinthes, 2013.
Le diable s'habille en Voltaire, Lattès, 2013, Labyrinthes, 2014.
Crimes et Condiments, Lattès, 2014.

www.editions-jclattes.fr

Frédéric Lenormand

VOLTAIRE MÈNE L'ENQUÊTE

ÉLÉMENTAIRE,
MON CHER VOLTAIRE !

Roman

Maquette de couverture : Atelier Didier Thimonier
Illustration : © *Le Discret*, Joseph Ducreux. D.R.

ISBN : 978-2-7096-4861-5

Il y a des gens qui n'ont de succès dans le monde que par leurs défauts. S'ils se corrigeaient, on ne les remarquerait plus.

Mme de Genlis, *Souvenirs*

PERSONNAGES HISTORIQUES, RÉELS, VÉRIDIQUES ET AYANT EXISTÉ

FRANÇOIS-MARIE AROUET, dit Voltaire

ÉMILIE LE TONNELIER DE BRETEUIL, marquise du Châtelet

PIERRE LOUIS DE MAUPERTUIS, savant

MICHEL LINANT, abbé

M. ET MME DUMOULIN, logeurs de Voltaire

RENÉ HÉRAULT, lieutenant général de police

JÉRÔME D'ARGOUGES, lieutenant civil de police

CHARLES-LOUIS DE SECONDAT, baron de Montesquieu, moraliste, parlementaire, marchand de vin

MARIE DE VICHY-CHAMROND, marquise du Deffand, femme de lettres

CHARLES-AUGUSTIN DE FERRIOL, comte d'Argental, conseiller au parlement de Paris

JACQUES VAUCANSON, expert en mécanique

FRANÇOIS-VICTOR LE TONNELIER DE BRETEUIL, ancien ministre

On trouvait chez Mme du Châtelet des globes célestes, des pendules, des lunettes astronomiques, un microscope de Huygens en trois métaux différents avec des mollettes et des lentilles partout, une centrifugeuse, et même une machine à faire le vide, objet peu courant en 1734. Par goût des sciences, et aussi pour attirer le bel académicien sur qui elle avait jeté son dévolu, elle avait garni son cabinet d'instruments de physique et les montrait en détail à Maupertuis, qui aurait plus volontiers tâté d'autre chose que du verre et du métal.

Émilie était particulièrement fière de posséder une montre à secondes de chez Tiout, un excellent thermomètre, un long baromètre, un lot complet de terrines pour aller au feu et des cornues réputées incassables. Si cela ne suffisait pas à retenir l'aimable professeur, elle n'avait plus qu'à lui accorder les dernières faveurs (elle était prête à ce sacrifice).

Elle avait acquis un exemplaire d'un four ardent inventé pour Louis XIV, sorte de gros miroir concave qui concentrait les rayons solaires de manière à vitrifier, brûler ou fondre différents matériaux. Elle proposa des expériences d'une voix câline.

— Voulez-vous que nous fassions chauffer du plomb pour voir s'il pèsera toujours le même poids après la combustion ?

— Je m'en consume déjà, répondit suavement Maupertuis.

Elle lui fit enfiler un grand tablier noir à nouer dans le dos, prétexte à rapprochement, frôlement, enlacement. Quand le savant se fut rapproché beaucoup, elle murmura qu'il lui fallait un grand couteau.

— Un grand couteau ? répéta-t-il.

— Pour découper des tranches de plomb que nous pèserons de concert.

Ils descendirent en cuisine chercher la fine lame de leurs désirs. Le personnel était au marché, où il avait l'ordre d'examiner les poireaux un à un pendant deux heures.

Émilie fouilla les tiroirs et pria Maupertuis de prendre une écumoire dans un réduit qu'elle lui désigna. Ayant ouvert ledit placard, le savant se trouva nez à nez avec une jeune personne en tenue de soubrette, d'une pâleur cadavérique, qui le dévisageait d'un regard blanc, les yeux révulsés. Il referma sans dire un mot.

— Avez-vous vu l'objet du délit? demanda la marquise.

— J'ai vu, répondit le savant.

Cette femme avait des nerfs d'acier.

— J'ai fait une folie avec ces instruments, je sais que c'est un crime, mais que voulez-vous! On ne vit qu'une fois, jusqu'à mieux informé.

— Certes. Et pas si longtemps qu'on voudrait, souvent.

— Enfin, je ne vais pas finir en prison pour ça, plaisanta-t-elle au souvenir de la facture du baromètre.

En prison, Maupertuis ne savait pas mais sous la hache, c'était bien possible.

S'étant retournée, elle le vit tout défait. Elle lui demanda si c'était le thermomètre atmosphérique qui le troublait. Ce n'était pas le thermomètre atmosphérique. Il rouvrit le placard-tombeau. Margoton se tenait toute raide entre les ustensiles et les jambons pendus. Émilie avança une main pour toucher la servante. Décoincée de son enchâssement de casseroles, celle-ci s'abattit telle une bûche sur le carrelage.

L'homme et la femme de science considérèrent la dépouille avec des mines navrées.

— C'est fâcheux, dit Émilie. Si Voltaire était ici, il nous dirait quoi faire.

— Prévenir la police? suggéra Maupertuis.

— Ou acheter un grand tonneau…

— Quel problème!

— Oh, une simple contrariété, dit la marquise, que la philosophie avait habituée à toutes sortes de surprises.

À ce moment, la gouvernante des enfants entra prendre un verre d'eau, vit ce qui gisait sur le sol, la figure impassible de sa maîtresse armée d'un couteau, le monsieur en tenue de boucher, et s'enfuit en hurlant.

— Maintenant c'est un problème, admit Émilie.

CHAPITRE PREMIER

*Où l'on découvre que la philosophie n'est pas
un mode d'évasion très efficace.*

Une obscurité caverneuse, autant dire platonicienne, avait englouti la Lorraine, notamment
une petite portion de Lorraine nommée Cirey, où
la philosophie la plus avancée avait trouvé un abri
provisoire qu'elle ne cherchait qu'à fuir.

Le vieux château très décati était resté tel qu'au
Moyen Âge, au point que certains regrettaient
qu'une invasion barbare ou quelque siège avec des
catapultes et des canons n'ait point mis à bas cet
informe tas de cailloux qu'on aurait reconstruit
dans le beau style de Chenonceau. C'étaient de
vieilles pierres sous de vieilles tuiles, et pour peu
qu'un corbeau vînt croasser, cela devenait le vrai
séjour des âmes auxquelles on avait refusé le paradis, qui était à Paris.

Si la pénombre ne le rendait pas plus accueillant, elle favorisait au moins les projets d'évasion. Un petit ballot chut du premier étage. Des mains fébriles y avaient fourré l'essentiel pour la survie des philosophes : un abrégé des pensées de maître Locke, un clystère à piston et un sachet de poudre à perruque. Une corde à nœuds fut jetée le long de la muraille, car l'étude de Newton ne préparait pas réellement à vaincre la pesanteur, quoi qu'on en dise. Un corps fluet, encore souple pour ses quarante ans, enjamba l'appui de la fenêtre et entreprit de descendre avec la grâce d'une chenille sur la tige d'un prunier.

La descente se fit au prix de gesticulations fastidieuses, opérées en silence pour ne pas éveiller l'attention des adversaires de la pensée moderne. Vers le bas, le fuyard perçut un halo de lumière qui n'émanait pas de l'avant-garde littéraire mais d'une chandelle tenue par la cuisinière, chef du personnel et des geôliers.

— La soupe de monsieur est prête, dit la maîtresse queux quand le penseur eut à nouveau les pieds sur terre.

— Ah…, dit ce dernier en rajustant sa culotte pour se donner une contenance. Qu'y avez-vous mis ?

— La hure du sanglier.

— Encore du sanglier!

— On a aussi attrapé du lapin.

— Pas de lapin, plus de lapin!

Son idée aurait été d'aller manger là où l'on ne cuisinait aucun produit des forêts. Une question moins prosaïque le taraudait :

— Comment m'avez-vous retrouvé? demanda-t-il sur le ton du bagnard qui a cru s'échapper des mines de sel.

Elle désigna Leibniz, le chien recueilli par Voltaire, nourri par Voltaire, qui frétillait de la queue devant Voltaire. Trahi par la monadologie teutonne!

La cuisinière n'était pas trop contente d'avoir dû lâcher ses marmites pour venir chercher le fugitif.

— Madame a dit que vous restiez au château.

— Vous faites barrage au libre parcours de la réflexion pragmatique! déclara le réformateur.

— Madame a dit que vous étiez mieux ici pour penser que dans le cachot où on vous mettra si vous rentrez en France[1].

Voltaire se renfrogna. Quand les femmes se mettaient à avoir raison, les philosophes perdaient leurs moyens, il ne leur restait plus qu'à

---

1. Le duché de Lorraine vivait alors les dernières années de son indépendance.

aller goûter la soupe au sanglier. La cuisinière avisa la corde improvisée qui pendait sur vingt coudées.

— Dites donc, c'est encore moi qui vais devoir récupérer les draps… Ces nœuds m'ont l'air d'avoir été serrés à mort…

Elle avait déjà dû dédommager le muletier qu'il avait loué la semaine passée pour traverser la forêt, et le propriétaire du baril où il avait voulu se cacher la semaine d'avant pour franchir la frontière. Ils se dirigèrent vers la cuisine dans un concert de coassements de batraciens qui goûtaient mieux que lui la proximité de ces mares.

— Le soir, je ressens l'appel de l'opéra, expliqua Voltaire. On n'entend ici que les crapauds. À Paris, j'avais l'Académie quand je voulais.

— Monsieur est donc de l'Académie?

— Non, non, pas encore, je suis trop jeune.

Et puis on l'avait débouté deux fois.

Il éprouvait une irrépressible envie de choux à la crème, de glaces de chez Procope, il était fatigué de déguster la mirabelle sous toutes ses formes, en croustade, rissole, croquant, feuillantine, sirop, compote ou marmelade.

— Je vous ai fait une tarte, annonça-t-elle pour le remonter.

Ils avaient passé la journée à récolter la mirabelle précoce d'été. Les jours prochains seraient consacrés aux confitures.

— Et cet automne, que ferons-nous? demanda-t-il.

— Il y a la mirabelle tardive, dit la cuisinière.

Il était prisonnier d'un petit enfer couleur de cire.

Après sa soupe et la tarte, il fit ses écritures à la chandelle, dans un coin de cuisine chauffé par l'âtre. Le reste du château était abandonné aux courants d'air. Quand aucune pièce n'est confortable, rien ne vaut la lueur du feu, la chaleur du feu et le fumet du sanglier qui mijote sur le feu.

Depuis trois mois que la publication de ses *Lettres philosophiques* le condamnait à une réclusion à l'abri de la police française, il avait composé mille deux cents vers de douze pieds.

— Je m'ennuie, je m'ennuie! constata-t-il au-dessus de ses alexandrins.

Il avait fait sa lecture quotidienne de *La Vie heureuse*, où Sénèque donne en latin les recettes du bonheur. C'était pire. Son peu d'envie de les appliquer faisait de lui le principal artisan de son malheur et lui rendait sa situation encore plus triste.

Son plus grand plaisir, après la mirabelle, était d'alerter ses correspondants sur sa misère. Les yeux embués par le chagrin, il dictait à un valet, dont le manque d'application n'était pas sans conséquences. « Ils précipitaient leurs pas pour donner une grande leçon au général Toutefetre » devint : « Ils précipitaient leurs repas pour donner un grand con au général foutretout. » À ce rythme, l'Europe entière croirait bientôt qu'il était devenu sot et grossier, une impression très éloignée de celle qu'il entendait produire.

Le reste du temps, il lisait les parutions que lui adressait le comte d'Argental, son ami. Il avait reçu le premier tome des *Mémoires pour servir à l'histoire des insectes*, par Réaumur, jeune génie de l'entomologie. C'était des récits de larves et de papillons, il en avait déjà beaucoup trop autour de lui, cette lecture le déprimait, quelle idée de lui envoyer ça ! Ayant parcouru le dernier livre de Montesquieu, *Considérations sur la Décadence des Romains*, il eut l'idée d'un mot injuste et cruel qu'il s'empressa de placer dans toutes ses lettres pour l'amusement des rieurs : « *La Décadence des Romains* montre surtout la décadence de Montesquieu ! » Peu lui importait que ce trait d'esprit terminât son tour de Paris dans l'oreille de sa victime, il était privé de Paris, Paris pouvait bien brûler, ou ses écrits en place publique, comme s'y était appliqué le Parlement.

Le seul qui ne donnait pas de nouvelles, c'était son secrétaire, l'abbé Linant, le fidèle Linant, à présent l'infidèle Linant : loin des yeux, loin de l'estomac. En revanche, le comte d'Argental joignait à ses envois des rapports sur les faits et gestes de la belle Émilie, toujours sensible au charme irrésistible des génies :

> *La dame que vous savez est aujourd'hui en grand péril*
> *de tomber dans les bras de certain savant de votre connaissance.*

C'était plus qu'un adepte de l'impassibilité socratique n'en pouvait supporter. Voltaire tenait à la fois le prétexte et le moyen d'échapper à cette réclusion mirabelleuse. Il plia la lettre sous la dernière ligne et la montra à sa gardienne.

— Regardez! Je dois voler au secours de madame! Elle est en danger! C'est marqué là!

— Ciel! dit la brave femme, sa cuiller à la main, en louchant sur le papier. Que lui arrive-t-il donc?

— Elle est cernée par des gens douteux qui veulent la dépouiller de son bien le plus précieux!

La cuisinière imagina : «Sa fortune», Voltaire pensait : «Moi-même.» Il insista sur la signature du comte, un homme sérieux – «Ciel!» fit la cuisinière –, et la laissa déchiffrer à haute voix jusqu'à la formule «grand péril» – «Ciel! Ciel!»

Ce sésame ouvrit toute grande la grille du verger plein de prunes. La cuisinière battit le rappel de la domesticité pour organiser le rapatriement du petit monsieur dans la capitale afin qu'il pût secourir madame, guettée par les menteurs, les hypocrites et les séducteurs algébristes.

Restait le problème posé par les messieurs de la police tapis dehors. On avait bien remarqué ces formes embusquées dans les taillis, un phénomène apparu depuis que le château servait de refuge au progrès en marche. Les services du lieutenant général de Paris avaient été d'autant moins longs à situer le lieu de sa retraite qu'ils ouvraient le courrier de tout le monde. Des ombres se faufilaient entre les arbres du parc, des étrangers se promenaient au village, l'air de rien, le col relevé : l'œil vengeur de Yahvé était braqué sur eux.

— Je vais vous montrer comment on s'y prend, dit Voltaire.

Une longue pratique de la philosophie vous portait à développer des méthodes pour tromper les forces de l'ordre. Il donna des consignes pour entretenir l'illusion qu'il n'avait pas quitté le domaine. Il fallait mettre ses liquettes à sécher sur un fil bien en vue, poster devant les fenêtres un mannequin de paille coiffé d'une perruque à marteaux, un valet traverserait la cour en imitant sa dégaine, suivi du chien (seule la police ignorait que cet animal suivait quiconque avait garni ses poches de saucisson).

Tandis que sa silhouette montée sur roulettes glissait derrière les carreaux, que ses caleçons séchaient sous les pruniers, que son chapeau promenait le chien, le reste de Voltaire, caché dans quelque malle de coche, se hâtait vers Paris, où il entra quatre jours plus tard, dans un panier porté par deux déménageurs bretons à qui une poignée de louis avait musclé les bras et fermé la bouche.

CHAPITRE DEUXIÈME

Le laitier sonne toujours deux fois.

La cloche tinta chez les du Châtelet, Maupertuis vint ouvrir. Sur le perron se tenait un visiteur en habit de laitier, ses bagages dépassant de deux gros pots à lait. Le savant et la crème des péripatéticiens furent aussi surpris l'un que l'autre.

— Voltaire ? Vous êtes dans le lait, maintenant ? Je vous croyais dans les mirabelles !

— Nous, les penseurs, savons nous adapter aux réalités du monde, contrairement aux mathématiciens étroits d'esprit, répondit le laitier.

Il contourna l'empêcheur de livrer en rond et s'insinua dans le vestibule avec son petit chargement. Maupertuis ne revenait pas de son étonnement.

— Vous savez déjà ? Quelle rapidité !

— Je sais tout ! Je suis très rapide ! répondit le livreur.

Il déposa ses bidons sur le carrelage bicolore.

— Alors? On pousse d'innocentes personnes dans le lucre et la débauche?

— Je vous jure que ce n'est pas moi! se défendit le physicien. Jamais je n'avais rencontré la victime!

Voltaire pressentit qu'il ignorait encore toute l'étendue des turpitudes qui se commettaient ici.

— Nous attendons la police, ajouta Maupertuis.

Le laitier reprit ses bidons et fila vers la porte.

— Bien le bonsoir!

— Émilie est dans les communs, dit le savant.

L'homme aux bidons bifurqua vers la cuisine.

Un cadavre était étendu sur le sol. Les yeux, le rictus et la bouche ouverte sur une langue noirâtre suggéraient un empoisonnement. Voltaire l'enjamba pour aller baiser la main de la marquise, qui sirotait un cordial sur une chaise paillée.

— Ma chère amie! Qu'il m'a été douloureux de rester séparés si longtemps!

— Quelle bonne surprise! dit Émilie. Qu'est-ce qui vous amène donc?

— Le bonheur de vous voir.

Maupertuis leur rappela que ces charmants épanchements se déroulaient devant une morte dont, peut-être, la présence importait davantage qu'un doux échange d'amabilités. Voltaire voulut bien considérer le corps sur le carrelage.

— Eh bien, ma chère ? Une expérience de physique qui aura mal tourné ?

— Je ne comprends pas, Margoton ne me pose aucune difficulté, d'habitude.

— Ah, ma chère, que sait-on vraiment d'autrui ? À propos, vous avez le bonjour de votre cuisinière de Cirey, dit-il en fouillant son bidon. Elle vous envoie des terrines. C'est du sanglier. Je vous les recommande, j'ai quasiment connu cet animal de son vivant – en tout cas j'en ai rencontré toutes les parties dans mon assiette.

Maupertuis levait les bras au ciel. Émilie s'extasia devant la coïncidence qui avait conduit le philosophe à quitter son refuge au moment où elle avait justement besoin d'aide.

— J'ai senti que vous étiez en danger ! dit Voltaire. J'en ai eu le fort pressentiment !

Il coula un regard vers le danger mathématique à sa gauche.

On lui relata la tragédie, le malheur et la découverte du malheur une heure plus tôt. Voltaire vit tout de suite l'élément suspect de l'affaire.

— Et qu'est-ce que vous faisiez là, vous ? dit-il à Maupertuis. Vous venez mathématiser chez les jeunes femmes seules? Le marquis est au courant de vos assiduités?

— Mais… et vous-même?

— Moi, je ne suis pas là, je suis exilé en Lorraine! (Il dut s'interrompre, chaque fois qu'il prononçait ce mot il avait un petit malaise.) Ne détournez pas la conversation. Nous en étions à votre présence dans une maison respectable.

— Nous en étions à la présence d'une morte dans ma respectable cuisine, rectifia Émilie.

— Qui nous dit que les deux intrusions ne sont pas liées? objecta l'enquêteur, qui tenait une piste toute chaude et tout offusquée.

Maupertuis aurait bien donné dix ans de la vie d'un philosophe pour savoir pourquoi cette fille avait été tuée.

— Elle vous avait surpris avec sa maîtresse? insinua Voltaire.

Émilie assura que non, qu'allait-il imaginer, elle n'avait cherché qu'à tromper sa douleur d'être privée de lui, elle prenait des leçons de calcul intégral, ce que Voltaire jugea intégralement suspect.

Un quadrupède qui menait sa propre enquête vint patrouiller entre les jambes de l'écrivain comme en terrain conquis. C'était une boule de poils si drus qu'on pouvait douter s'il y avait un chat dessous : tout bouffi de fourrure épaisse, des yeux jaunes cernés de noir moins charmants qu'inquiétants, comme ceux d'un loup, avec un front barré de deux traits sombres qui donnaient l'impression qu'il fronçait les sourcils. S'il existait un ours de la taille d'un renard, c'était cet animal, non une bestiole qu'on laisserait coucher sur les couvertures du lit, plutôt de celles qui vous lacéreraient les chairs avec une joie sauvage.

— Qu'est-ce que c'est que ça?

Décidément, la maison s'était remplie d'intrus. Émilie ramassa le chat, qui prétendait renifler la morte sous toutes les coutures.

— Puisque vous aimez les animaux, et comme justement la chatte de la princesse de Monaco avait une portée, je me suis dit : c'est l'occasion!

— ... l'occasion d'avoir un chat de la princesse de Monaco, compléta Voltaire.

— Oh! Vous savez bien que je suis réfractaire à toute prétention prétentieuse!

Elle s'adressa à l'animal :

— Majesté, dis bonjour au monsieur!

Voltaire éternua. D'abord un mathématicien importun, maintenant un chat particulé, à peine tournait-il le dos que la pauvre femme était la cible de tous les parasites.

— Qu'y a-t-il à souper, ma chère amie? demanda-t-il.

Émilie les conjura l'un et l'autre de la tirer d'ennui : un cadavre chez soi, c'était toujours un sujet d'embarras.

— Je ne sais pas si je peux enquêter avec un monsieur qui s'installe chez des épouses en l'absence du mari, dit Voltaire.

— Comme à Cirey, par exemple, ajouta Maupertuis.

Hélas, le malentendu qui avait conduit à la condamnation des *Lettres philosophiques* interdisait Paris à leur auteur.

— Pourtant, je n'ai pas écrit ce livre, je défie quiconque de me faire dire le contraire!

— Même le Parlement? demanda Maupertuis.

— Avec le fouet et les pincettes? renchérit la marquise.

Voltaire décida de traiter un problème après l'autre : le plus urgent d'abord.

— Découvrir qui a commis ce meurtre? supposa le mathématicien.

— Nous débarrasser du corps! Vous n'imaginez pas combien la police peut se montrer suspicieuse quand on découvre un cadavre chez quelqu'un! (Émilie approuva du menton : la pratique de la philosophie ne cessait de la confronter à ce genre de cas.) Ces messieurs se montrent d'une indiscrétion ahurissante, c'est une invasion de furets. N'est-ce pas, ma chère?

Elle acquiesça. Les policiers n'étaient pas le genre de visiteurs qu'elle souhaitait recevoir, ils n'entendaient rien à la physique de Newton.

Il leur fallait un grand tapis.

— J'ai! dit Émilie.

Un grand tapis bon marché.

— Je n'ai pas.

Maupertuis fut envoyé acheter le tapis.

— Allez chez Brigolin, demandez quelque chose de solide et de pas cher, le premier prix. D'une sorte commune! Ne faites pas livrer! Apportez-le vous-même! Changez deux fois de fiacre sur le trajet!

Maupertuis s'en épuisait d'avance, pareille mission nécessitait l'achat d'un tapis volant.

La gravité de la situation les contraignait à prendre des mesures désespérées : l'écrivain allait avoir besoin de son Linant, c'était désespérant. L'abbé avait de très bons bras pour porter les tapis. Voltaire fila le pêcher là où il croyait le débusquer.

Quand Maupertuis revint, une heure plus tard, son tapis roulé sur le toit d'une voiture, la police était dans la maison. Il poursuivit sa route en se demandant si le marchand reprendrait l'article.

CHAPITRE TROISIÈME

De l'inconvénient d'avoir des cadavres dans ses placards.

À peine les deux hommes eurent-ils tourné le dos que la cloche de l'entrée retentit. Une servante catastrophée vint annoncer que ces messieurs de la force désiraient parler à madame.

Mauvaise nouvelle, c'était trop tôt, Émilie n'était pas prête, elle avait un cadavre sur le carreau de la cuisine, elle craignait de voir aborder ce sujet entre deux tasses de thé. Puisqu'elle ne disposait plus d'aucun de ses chevaliers servants pour lui faire un barrage de leur corps, elle fit remballer en vitesse la défunte dans son réduit, lança des ordres à son petit monde, et composa en toute hâte un tableau de quiétude familiale propre à dissuader les policiers de l'ennuyer avec les vicissitudes de la vie domestique telles que des accusations de meurtre.

On ouvrit, puisqu'il fallait ouvrir. Le vestibule fut investi par une meute féroce composée d'un commissaire et du lieutenant général Hérault en chair et en acide sulfurique. La servante les informa que madame était à sa broderie, dans son boudoir du premier.

La marquise reçut l'officier dans son cabinet de couture où elle ne mettait jamais les pieds, non dans celui rempli d'instruments de physique dont l'incongruité eût donné à penser que leur propriétaire était capable de toutes les transgressions. Au fond de la pièce trônait une grande et magnifique maison de poupées entièrement garnie à l'échelle. On voyait que c'était là une bonne mère de famille dévouée à ses enfants, qui ne songeait pas du tout à assassiner quiconque dans les communs.

— Cher monsieur Hérault! Quelle excellente surprise!

Pour amadouer la chiourme, elle avait envoyé chercher ses enfants, elle changea le nom d'«Olympe» en celui de «Marie-Pierre» et leur fit des caresses qui les laissèrent tout pantois.

— Allez, ma fille, à votre ouvrage.

— Mon ouvrage d'arithmétique, mère?

— Votre ouvrage de couture, petite folle!

Elle prit elle-même une tapisserie empruntée à la gouvernante et s'en vit fort embarrassée.

René Hérault applaudit la mise en scène.

— Permettez-moi..., dit-il en lui prenant des mains l'ouvrage pour le remettre à l'endroit.

Comme elle ignorait de toute façon de quel côté piquer l'aiguille, elle déposa sur un guéridon ce matériel plus complexe qu'un baromètre à mercure et s'intéressa aimablement au visiteur.

— Quel bon vent vous amène? demanda-t-elle sur un ton aussi convaincant que celui d'une débutante à la Comédie.

C'était un vent de suspicion. Une rumeur courait les rues sur les deux jambes de sa gouvernante. Choquée par sa macabre découverte, la malheureuse était allée s'évanouir chez un apothicaire du quartier, elle avait bredouillé les mots de «meurtre» et de «cadavre», le pharmacien avait appelé un juge de paix qui avait transmis au Châtelet, et voilà comment la police survenait chez vous deux heures après le drame.

— C'est un malentendu, dit Émilie avec un petit rire nerveux.

— Il n'y a pas de servante morte dans le placard de votre cuisine? demanda Hérault.

— Oh, si je m'intéressais à tout ce qui se passe dans mes placards, je n'en finirais pas, dit la marquise. Ce n'est pas impossible... J'ai cru voir... Mais, enfin, rien qui me concerne, conclut-elle avec l'aplomb de Fontenelle expliquant que les planètes tiennent en l'air par l'effet de tourbillons géants.

Hérault avait son air soupçonneux. Elle sentit qu'on allait lui causer des tracas. Il existait deux méthodes : celle des marquises consistait à le prendre de haut, celle de Voltaire nécessitait une porte, une fenêtre, ou toute autre ouverture donnant sur l'arrière de la maison.

Le visiteur la pria de bien vouloir lui montrer le corps.

— Ça n'est pas bon, déclara-t-il devant la victime coincée entre les casseroles.

Malgré tout le respect qu'il avait pour les marquises et pour les femmes de science agréablement charpentées, il allait devoir l'emmener au Châtelet pour un entretien plus poussé. Émilie répondit qu'elle le suivrait volontiers après s'être changée, elle n'était pas vêtue pour une visite dans un endroit malpropre, et courut appliquer la méthode Voltaire, celle avec la petite porte sur l'arrière. Elle se mit en tenue de voyage, redescendit par l'escalier de service, se glissa dans la cour avec un petit sac où elle avait jeté l'indispensable.

— Je vois que vous êtes prête, dit une voix aux accents aussi charmeurs que celle du bourreau à qui un assistant apporte la hache.

Le Grand Châtelet était, en plein Paris, non le manoir de la Belle au bois dormant mais celui de la méchante belle-mère de Blanche-Neige. Il se hérissait de donjons noircis par des siècles de fumées venues des rôtisseries avoisinantes, le marché de l'apport-Paris était tout près, cela sentait la viande grillée. C'était un assemblage de tourelles où l'on croyait voir pendre encore les condamnés de tous les temps qui avaient précédé celui-ci. La forteresse administrative, bâtie pour intimider le peuple, répondait à sa fonction. Du côté de l'entrée, elle était coincée contre la halle, de l'autre elle butait sur la Seine : autant dire qu'il n'existait aucune sortie, on ne savait par où s'en échapper, de même que de l'enfer gouverné par Pluton.

Le lieutenant civil chargé des différends d'ordre privé, qui disputait ses prérogatives au lieutenant général, aborda le commissaire dans la cour.

— Il paraît qu'on a arrêté la marquise du Châtelet ?

— Vous aurez mal compris, répondit Tamaillon. Il est question de conduire une marquise au Châtelet.

— Quelle marquise ?

— On ne sait pas encore. Quand ce sera décidé, ne doutez pas d'être averti l'un des premiers.

À l'étage, dans son cabinet, la porte soigneusement fermée sur eux, Hérault faisait à Émilie les honneurs de son petit royaume. On avait une vue directe sur la Seine. Les troncs emportés par l'eau glissaient sur l'onde, accompagnés parfois de quelques cadavres qui inquiétaient moins la police que ceux trouvés dans les cuisines de la noblesse.

— C'est très joli, dit Émilie, qui se demandait à laquelle des deux sortes, bois rompu ou chair inerte, appartenaient les formes floues qui dérivaient en contrebas.

Son hôte lui servit un petit verre de prune de chez lui, «ça vous aidera à vous détendre après toutes ces aventures déplaisantes».

«Et avant toutes celles qui s'annoncent», songea la marquise en sirotant la fine de Vaucresson.

Bien décidé à profiter d'un entretien privé avec cette belle femme venue le voir presque de son plein gré, Hérault lui conta la solitude du redresseur de torts, un discours qui mettait mieux en valeur que celui sur le grand méchant loup procédurier que tout le monde voyait en lui. Parfois, il éprouvait l'envie de s'embarquer sur ce fleuve pour rallier des contrées hospitalières et tropicales, d'y refaire sa vie dans l'amoureuse complicité d'un bonheur partagé. Il coula sur elle un regard langoureux.

— Et vous, chère madame, n'avez-vous pas songé à tout quitter pour une existence libérée des trivialités ?

Émilie ne savait plus si elle était là pour subir un interrogatoire ou des assiduités, elle regrettait les brutalités policières. Faute de réponse à ses projets de voyages, Hérault se rabattit sur le sujet du jour.

— Votre gouvernante dit que vous avez eu une violente altercation avec la victime à propos de linge mal rangé, et que d'ailleurs vous faites reproche au personnel de toutes sortes de fautes alors qu'il n'y peut mais.

— Vous ne grondez jamais vos subordonnés ? demanda Émilie. Je suppose qu'on ne vient pas vous lancer des accusations quand par hasard il en meurt un ?

Elle avait gourmandé cette fille, cela ne constituait pas un mobile.

— Vous savez, ce n'est pas bien d'étrangler ses bonnes, insista Hérault. Mieux vaut les congédier.

Elle montra ses ongles peints.

— Ces mains servent à tenir la plume et le compas, non à occire le petit personnel !

Hérault eut un court étourdissement à la vue de ces jolis doigts chargés de bagues multicolores. Incapable de poursuivre sur un ton d'inquisition

qui le dégoûtait lui-même, il opta pour celui du
«policier compréhensif», qui nécessitait l'adjonc-
tion d'un sourire compatissant sur une figure où
deux plis en forme de parenthèses apparurent de
chaque côté de sa bouche. Il baissa la voix comme
un prêtre à confesse.

— Allons, vous pouvez tout me dire, ma chère,
j'en ai entendu d'autres. Elle ponctionnait l'argent des commissions?

— Mon cher ami, dit Émilie sur le même ton,
je vous supplie de croire que j'ai assez de connaissances pour expédier n'importe qui de manière à
n'être jamais soupçonnée. Vous me faites offense
en m'accusant, non de meurtre, mais d'une négli-
gence véritablement coupable.

— Certes, admit Hérault.

Elle recevait des philosophes, elle devait en
savoir long dans le domaine du crime. Maintenant qu'ils se parlaient à cœur ouvert, il était assez
de son avis. Elle n'était pas le genre de femmes
que l'on surprend à serrer le kiki de la bonne, il
laissait cela à des personnes qui ne lisaient pas
Newton dans le texte. Il opta pour une mesure de
salubrité au bénéfice des marquises et des lieutenants généraux.

— Pour votre sauvegarde, j'ai décidé de vous
ôter à un environnement malsain. Tant que nous

n'aurons pas établi quel danger vous courez chez vous, je préfère vous garder sous les yeux.

En d'autres termes, cela s'appelait une garde à vue.

— Vous savez que vous pouvez compter sur mon entier dévouement, ajouta-t-il, pressant comme un lierre.

— Je sais, oui, dit sèchement Émilie, que cet « entier dévouement » avait conduite dans l'antre du vice et de la police où régnait le roi les aulnes.

Tamaillon ouvrit la porte sans frapper, sur une situation qui eût risqué de paraître équivoque. Dans les couloirs, le lieutenant civil demandait à tout le monde s'il était vrai que la marquise avait un cadavre dans son placard. Affolement de Hérault. Affolement de la marquise.

— Monsieur, mon honneur est entre vos mains! dit Émilie.

Comme il les serrait justement dans les siennes, c'était vrai. Le désagrément qui accablait la visiteuse ne devait pas s'ébruiter. À la vitesse où le lieutenant civil progressait dans les étages, ils n'avaient qu'une poignée d'instants pour donner à leur tête-à-tête un tour d'innocence qui n'était pas la spécialité de la maison.

Lorsque le lieutenant civil introduisit son museau dans le cabinet d'un concurrent qui n'appréciait ni ses méthodes ni sa personne, Hérault maniait l'aiguille sur un début de tricot dont Tamaillon dévidait la pelote.

— Une maille à l'endroit, une maille à l'envers, monsieur le lieutenant général, recommandait Émilie.

Persée n'aurait pas été plus statufié s'il avait vu la Gorgone jouer au Yo-Yo.

— Mme du Châtelet a la bonté de bien vouloir m'apprendre la patience et la sérénité, expliqua son confrère. Cela aide à supporter les malfaisants.

— Et c'est sans doute un hasard si l'on vient d'apporter le corps d'une servante? demanda le lieutenant civil.

— Justement, dit Hérault : j'ai besoin de recouvrer ma sérénité, j'ai un métier épuisant, on y côtoie nombre de fâcheux qui vous abîment les nerfs.

Le lieutenant civil les laissa à leur lainage et remporta sa circonspection.

— Bien, dit Hérault. Où en étions-nous de notre entretien?

— «Une maille à l'envers», monsieur le lieutenant général, répondit Émilie.

— Je vous en prie, appelez-moi René, dit-il en faisant signe à Tamaillon de les laisser. À présent que nous sommes complices dans le crime!

Il roulait des yeux de castor encore plus inquiétants que son habituel regard de buse. La marquise poussa un soupir. La garde à vue s'annonçait éprouvante.

CHAPITRE QUATRIÈME

Où l'on voit les philosophes délivrer des malheureux
prisonniers des mauvais instincts.

Voltaire était déçu de n'avoir plus de nouvelles de Linant depuis que son livre avait été brûlé : les rats fuyaient le navire en feu. Il crut le débusquer dans la proximité des commerçants chez qui la philosophie avait du crédit, c'est-à-dire à leur ancien domicile.

Il ne doutait pas du soutien de son cher Dumoulin, logeur, associé, homme de paille, qui lui avait fait perdre de l'argent et l'avait remboursé en l'abritant et en le nourrissant. Depuis que les belles lettres étaient exilées en Lorraine, Dumoulin faisait bien des économies, on allait pouvoir lui réclamer quelque compensation sonnante et trébuchante.

Mis en face de leur ancien pensionnaire, les Dumoulin mari et femme n'arborèrent point la mine esbaudie qu'on leur avait imaginée. Elle, ronde et solidement bâtie, avait des bras assez robustes pour balayer les planchers des poussières et des créanciers, une aptitude qui avait bien servi. Lui aurait pu poser pour une gravure du dictionnaire en face du mot «chafouin».

En guise de bienvenue, la mère Dumoulin avait des remontrances.

— On nous regarde mal, dans le quartier, depuis que le livre de monsieur a été incendié en place publique. Ce n'est pas une publicité pour les honnêtes gens.

«Encore moins pour les autres», songea Voltaire.

— Les fournisseurs nous ont demandé de solder nos ardoises, reprit Dumoulin mari, pour qui ce souvenir était une plaie béante.

— Ah, mes pauvres amis! Quelle vie! Combien vous reste-t-il à me prêter?

Ils le laissèrent dans l'escalier sous prétexte d'aller compter leurs sous. Voltaire avait abandonné ici nombre d'affaires, il souhaita profiter du détour pour se reposer et se changer. Il y avait de la lumière dans son appartement, il crut qu'on était en train de faire le ménage pour l'accueillir dignement et toqua à la porte. Un gros garçon à l'air benêt ouvrit.

— Monsieur? fit Voltaire.

— Monsieur? fit l'inconnu qui vivait chez Voltaire.

— Qui est-ce donc, Pinot? demanda une voix aigrelette.

L'écrivain jeta un coup d'œil par-dessus l'épaule du nommé Pinot. Un petit bonhomme tout sec avec un nez et une coiffure démodée se vautrait dans son fauteuil, ses effets répandus sur ses meubles à lui, usant de ses coussins à lui. Il comprit avec horreur que l'ancien associé-logeur l'avait remplacé par un locataire vêtu comme un ridicule.

La joie des retrouvailles se dissipa d'un coup. Il se souvint que Dumoulin aurait dénoncé sa grand-mère en échange d'une miche de pain avec un bout de gras dessus. Judas avait dû s'appeler Dumoulin de son petit nom. Il importait de ne point traîner ici au-delà du raisonnable.

— Pardonnez-nous, monsieur Cruchon, dit Dumoulin en refermant la porte, c'est une erreur.

L'erreur, cela avait été de faire confiance à Dumoulin. Le traître lâcha quelques louis dans la main de son ancien pourvoyeur de fonds, cette diversion lui épargna d'amères récriminations. La situation judiciaire incertaine du visiteur ne lui avait pas échappé.

— Vous vous cachez? dit le chafouin. Il y a une récompense sur votre tête?

— Non, dit Voltaire en examinant le contenu de la bourse, il n'y en a pas. Dieu merci! Ça attirerait sur moi tous les aigrefins!

La question financière réglée, il exigea qu'on lui rendît son Linant. L'abbé avait changé d'appartement, Dumoulin le mena à son nouveau logis. C'était tout en haut. Ils gravirent l'escalier jusqu'à un palier où Voltaire n'allait jamais parce qu'il avait toujours cru que c'était le grenier.

C'était le grenier.

Lorsqu'il entra, une odeur nauséabonde frappa ses narines. Une masse remuait dans le fond.

— Mais… vous gardez une bête, ici?

La porte se referma, on tira le loquet.

Une loque humaine qui avait été l'abbé Linant et ressemblait maintenant au Masque de fer en fin de parcours se traîna à ses pieds.

— Mon bon maître! Vous êtes venu me sauver!

Les Dumoulin avaient renfermé dans la soupente tout ce qui pouvait leur valoir des ennuis avec la police : les livres de Voltaire, les manuscrits de Voltaire, le secrétaire de Voltaire. Le problème était désormais : comment sortir d'ici avant que l'infâme logeur ne les dénonce au Châtelet?

À présent que ses yeux s'étaient faits à la pénombre, le philosophe voyait mieux ce qui l'entourait. Le sol était jonché de minuscules crottes.

— Il y a une souris, geignit Linant. Elles transmettent des maladies!

Ce n'étaient pas les souris qui inquiétaient Voltaire.

— Celle-ci habite ici, nous connaissons ses fréquentations.

Ils perçurent des éclats de voix, firent silence, tendirent l'oreille. On demandait à voir le réprouvé avec assez d'énergie pour être entendu depuis l'entresol. Linant voulut appeler au secours, Voltaire le bâillonna de la main. Il avait reconnu cette façon d'exiger : c'était Jean-Philippe Rameau, l'impérieux compositeur.

Ce n'était pas aux institutions musicales que les Dumoulin entendaient vendre leur prisonnier. Ils répondirent que le repris de justice s'était réfugié en Lorraine, le visiteur s'en fut sans insister.

— Pourquoi ne pas nous être signalés? demanda Linant.

— Pas à Rameau! Je lui dois un livret d'opéra! Je n'en ai pas écrit une ligne! Je cours moins de risques à fréquenter la police.

Il évalua la largeur de la lucarne. En cousant les draps ensemble, un art qu'il commençait à maîtriser, on pouvait freiner sa chute par l'effet d'une sorte de parapluie dont Léonard de Vinci avait eu l'idée vers 1515. Bien sûr, nul n'avait expérimenté le procédé depuis lors, en tout cas personne qui fût resté vivant pour le raconter. En désespoir de cause, l'exercice méritait d'être tenté.

— Combien pesez-vous, mon cher abbé? demanda l'ingénieur en aéronautique de pointe.

Linant se jeta sur la porte et tambourina.

— Laissez-moi sortir! Pitié!

Il se fit un remue-ménage dans la maison. Voltaire colla l'oreille au battant. Ce bruit de bottes, ces voix rogues, ces ordres secs, cette ambiance de cataclysme... Le doute n'était pas permis. Il chercha autour de lui les accessoires de leur survie.

— Vite!

Il se macula le visage de charbon et se ceignit les reins d'un vieux tablier sale.

— Qu'arrive-t-il? demanda l'abbé. Des bandits?

— Pire! répondit l'écrivain en s'armant d'une paire d'outils ramassés au fond de la soupente. La police!

Linant voua aux tourments infernaux ce Dumoulin qui les avait vendus. Au moins, les policiers le sortiraient d'ici, il troquerait son grenier infect contre un cachot tout confort.

Voltaire doutait. C'était trop tôt, les inspecteurs avaient précédé les intentions des Dumoulin. S'ils le débusquaient ici, ce n'était pas une récompense qui attendait ses logeurs, mais une inculpation pour recel de philosophe.

Trois étages plus bas, le commissaire Tamaillon entendait saisir les papiers du proscrit malfaisant, du cryptographe invétéré, bref, de l'ennemi royal numéro un. Dumoulin était fort marri de n'avoir pas eu le temps de le livrer. À présent c'était trop tard, il y aurait de l'oubliette pour tout le monde à la Bastille. Le couple espérait que la force publique ne pousserait pas la visite jusqu'aux combles. C'était mal la connaître.

— Et eux, c'est qui? demanda Tamaillon devant la soupente qu'il venait de faire ouvrir.

Deux bonshommes au visage noir de suie pelletaient sur le tas de charbon.

— Bon, on a fini, m'ame Dumoulin, dit le petit fluet. Quand qu'c'est-y qu'on doit vous-y livrer d'nouveau?

— Ce sont les charbonniers, commenta la Dumoulin.

— Et vous les tenez sous le verrou? s'étonna Tamaillon.

— Mon mari est si jaloux! minauda la logeuse avec une timidité d'hippopotame.

51

Le commissaire jaugea le gros ahuri et le maigrichon comme ils passaient devant lui, ce dernier assenant une énorme tape sur l'arrière-train de sa dulcinée. Ni l'endroit ni la crasse ni la pelle n'évoquaient une philosophie condamnée à roussir en place publique. Ils profitèrent de leur entrée dans la charbonnerie pour dévaler l'escalier encombré d'inspecteurs.

— Pardon, mon fils, s'excusa l'abbé.

Au second, où vivait M. Cruchon, la police avait fait sauter la serrure d'une armoire pleine de papiers financiers de Voltaire. Nulle philosophie là-dedans, pas la moindre trace, ils se rabattirent sur des contrats commerciaux sans éthique ni morale et saisirent le tout. Le nouveau locataire se tortillait, tenu au col par un exempt deux fois grand comme lui.

— Je suis marchand de saucisses, protestait le pensionnaire.

— On nous l'a déjà fait, le coup des saucisses, répliqua le défenseur de l'ordre.

Linant fut tenté de solliciter une place de Linant auprès du nouveau Voltaire.

— Vous embauchez ? demanda-t-il.

— Que savez-vous faire ? répondit le charcutier.

Quand il eut dit ce qu'il savait faire, on lui répondit qu'on n'embauchait pas.

Dans la cour se lamentait le mari navré. Sûrement, il y avait eu dénonciation.

— Je trouve que l'on dénonce beaucoup, en France, depuis quelque temps, dit le charbonnier de la philosophie. Délation, arrestations, rafles... Espérons que cette manie passera, c'est une vilaine occupation.

— À qui le dites-vous! renchérit Dumoulin, privé de récompense. Le monde est plein de méchantes gens!

Voltaire se promit de ne plus mettre un pied dans cette maison qu'il n'eût été blanchi par la justice. Ils s'éloignèrent d'un pas pressé, s'interdisant de se retourner, inquiets si le diable ou la police les poursuivraient.

— Pourquoi vous associez-vous toujours à des escrocs? lui reprocha l'abbé.

— Si j'avais une auréole, je m'associerais à sainte Blandine, rétorqua le fugitif, son sac sous le bras.

CHAPITRE CINQUIÈME

*Où l'on voit la police déployer ses talents
et les marquises les leurs.*

Il importait de se rafraîchir et de se sustenter. Aussitôt dit, aussitôt fait, Linant les mena en un clin d'œil au lieu adéquat : il avait le plan des comestibles parisiens imprimé sur l'estomac.

Ils prirent refuge dans l'arrière-boutique d'un commerçant en bouche bien embouché. C'était l'occasion de faire un brin de toilette (ils demandèrent deux cruches et des bassines) et de se reposer à l'abri des indiscrets.

Voltaire avait avec lui le nécessaire du philosophe menacé d'embastillement, y compris l'encrier portatif, un jeu de brosses à perruque et une paire de pantoufles pour garder les pieds au chaud pendant l'effort intellectuel. Il était révolté par la constance de Hérault à le navrer.

— Je ne connais pas cette dame, dit Linant.

— Plutôt périr qu'implorer sa clémence!

— Non plus.

— Il m'a fait perdre ma félicité.

L'abbé fit signe qu'il ne connaissait pas.

— Quoi qu'il arrive, je ne le laisserai pas heurter ma conception!

— Ah! fit Linant.

Celle-là, il connaissait : elle vendait des tortillas rue Gagne-Deniers.

Pendant qu'ils redonnaient un visage humain à la philosophie, des policiers vinrent se fournir pour leur dîner. L'endroit avait une spécialité de boudins de poisson mi-perche mi-brochet, de boudins de lièvre au sang à la sauce ravigote, et de boudins de foie de cochon aux oignons cuits sous la cendre. En attendant leur commande, les hommes de Hérault échangèrent quelques mots qui n'échappèrent pas aux fugitifs embusqués derrière le rideau. Il était question d'une marquise interrogée au Châtelet.

Ces mangeurs de boudins lui avaient chipé sa marquise! La tourterelle chérie de Voltaire était aux griffes de la chiourme!

— On touche à mon Émilie! On en veut à sa liberté! Oh, mais je vais être un lion! Je vais rugir! Je vais mordre!

Le lion promenait à travers la pièce sa crinière ébouriffée.

Dès que les inspecteurs eurent emporté leurs victuailles, il courut au Châtelet avec l'ardeur du défenseur des damoiselles en péril. Linant, qui n'avait pas tant d'intimité avec la damoiselle, courait moins vite. À peine libéré d'un grenier, il montrait peu d'entrain à fréquenter d'autres geôles. Il fallut renoncer à le traîner dans le repaire de l'ordre et de la justice. L'écrivain se demanda à quoi lui servait un secrétaire qu'il ne pouvait introduire clandestinement au siège de la police pour en faire évader les inculpées.

Convaincu que la publicité est parfois la meilleure façon de passer inaperçu, il fit irruption dans le vieux donjon en criant : «Un pli urgent pour monseigneur!» Il brandissait une feuille tirée de sa prochaine philippique, une diatribe qui promettait d'être véhémente. Comme personne n'osait mettre son nez dans la correspondance de «monseigneur», ce passeport lui permit d'atteindre l'étage où vivait Barbe-Bleue.

— La pauvre enfant! murmura-t-il pour se donner du courage avant d'ouvrir la dernière porte. Je dois mettre fin à ses tourments!

La pauvre enfant prenait le thé, confortablement assise dans un siège à bras, devant un guéridon où reposaient une théière et des biscuits.

— Chère petite! s'exclama le héros. Que vous a-t-on fait?

Les premiers épanchements passés, il se ravisa.

— Où est Satanas?

Le bras armé de l'obscurantisme était allé vaquer aux travaux d'oppression qui réclamaient son intransigeance. Émilie goûtait mal la soudaine ironie de son existence.

— Qui aurait cru que vous seriez libre et moi emprisonnée! Ne trouvez-vous pas le monde absurde?

— C'est parce que le monde est absurde que les hommes comme moi sont nécessaires, dit Voltaire.

Elle souhaita qu'il se rendît nécessaire par la libération des marquises. Il avait un plan : ne pouvait-elle faire agir son cousin, l'ancien ministre?

Quelques années plus tôt, François de Breteuil s'était arrogé un portefeuille en faisant disparaître les preuves du mariage du Premier ministre d'alors, le cardinal Dubois, qui convoitait la mitre d'archevêque. Ce Breteuil était habile : il pouvait bien faire disparaître le cadavre!

Émilie jetait sur ses relations familiales un regard désabusé.

— Vous savez, s'il apprenait qu'un scandale menace notre famille, il m'enverrait plutôt lui-même à la Bastille.

— Je vais aller lui parler, moi! Je saurai bien le convaincre! dit Voltaire.

Il tentait de persuader les chrétiens d'adorer le Grand Horloger, il se sentait de taille à expliquer le droit à un ministre.

— Oui, faites donc cela, dit Émilie. Demandez-lui une cellule proche de la mienne. Envoyons-y tout de suite nos matelas.

Son défenseur arpentait le cabinet, les mains dans le dos, quand, derrière lui, la porte s'ouvrit avec lenteur. Raide et sépulcral, le maître des lieux apparut dans l'embrasure. Les déambulations du philosophe se heurtèrent à la masse inerte de la justice qui bouchait le passage. L'exhumation d'un personnage dentu dans un tombeau d'Europe centrale devait susciter le même genre d'émotion.

— Ah! fit le penseur.

— En effet, répondit le lieutenant général.

C'était le moment d'abrutir la police par un discours volubile. Voltaire plaida la cause des jeunes femmes honteusement tourmentées par une administration sans cœur.

— Vous ne pouvez pas l'arrêter, elle est innocente!

— Je ne l'arrêterai pas.

— Fort bien!

— Je vous arrêterai, vous. Vous n'avez rien d'innocent, Arouet.

— Mais si! Mais si!

L'innocence glissa un œil vers la fenêtre en se demandant à quelle distance coulait le fleuve en contrebas. Son amitié pour les marquises l'avait perdu. Il était faux de dire qu'un bienfait n'est jamais vain. Un bienfait pouvait vous mener en forteresse. Surtout quand on n'avait pas une grande habitude des bienfaits.

Hérault soupçonnait la marquise de lui avoir menti : elle était à bonne école. Voltaire rejeta ce jugement tout à fait discriminatoire.

— Cher monsieur, les femmes ne mentent pas, elles voient la réalité différemment!

Émilie était bien ennuyée. Une accusation de meurtre! Imaginez-vous! Il suffirait d'un petit article un peu acide dans le *Mercure*, la reine ne la recevrait plus, elle serait déclassée!

Voltaire conjura l'affreux Cerbère de mettre la subtilité, la finesse et l'efficacité de la police royale au service du bien et de la vérité. On crut qu'il se moquait.

— Il faut sauver les marquises! clama-t-il.

— Ne vous inquiétez pas, dit Hérault, je m'occupe de madame.

Ce n'était pas bon signe.

— Je vous offre ma tête! dit Voltaire. Relâchez Mme Duch!

Hérault découvrit une canine.

— J'ai déjà votre tête. Madame n'est que mon invitée.

Tamaillon gardait un œil sur le couloir : en aucun cas le lieutenant civil ne devait apprendre que son collègue recevait Voltaire en plus d'une meurtrière, c'eût été une réputation de fichue.

— Déjà qu'il vous croit adepte du tricot...

Hérault prit le penseur à part.

— Bon, Arouet. J'ai besoin de quelqu'un pour disculper madame en toute discrétion. Je ne puis en charger mes inspecteurs...

— Je suis bien d'accord, je ne leur confierais pas ma grand-mère à garder.

— ... parce qu'ils sont tous en surcroît de travail à cause de la guerre de Pologne, termina Hérault, le sourcil froncé.

Ils avaient déjà les Allemands, les Russes et les Autrichiens à surveiller, en plus des marquises.

— Allez, Arouet! C'est le moment de démontrer votre utilité!

Voltaire avait cru la chose accomplie depuis la parution des *Lettres philosophiques*.

— On saura vous en être reconnaissant, promit le lieutenant général avec un sous-entendu qui pesait son poids de nectar et d'ambroisie.

L'écrivain vit avec plaisir que monsieur le policier avait appris un nouveau mot. Il eût aidé sa marquise en échange de rien, et comme Hérault avait à l'esprit, en guise de reconnaissance, de lui procurer une cellule sur le côté ensoleillé de la Bastille, ils se grugèrent l'un l'autre, ce qui constitue généralement une bonne base pour un accord.

Hérault assurerait la sécurité de la femme de science tandis que Voltaire traquerait le vrai coupable. L'arrangement satisfit le philosophe : le policier pourrait déjà la protéger de certain mathématicien entreprenant, et s'il arrivait lui-même à prouver que ce mathématicien était l'assassin, ce serait double bénéfice pour la philosophie.

— Je serai *perinde ac cadaver*[1], promit Voltaire.

Puisqu'il avait eu la bonté de se livrer, on en profita pour prendre sa déposition : ce qu'il savait de l'affaire, ce qu'il en avait déduit, et par quel mystère il était à Paris quand un rapport récent le disait en Lorraine avec son chien et ses chaussettes. Le résumé de ses pérégrinations se mua en un roman voltairien avec cris, horions et paraboles.

---

1. Plus obéissant qu'un cadavre.

— N'écoutant que mon courage, un seul *r* à courage, je m'empressai, sans *s*...

Il relut la dictée avec la mine de penser que ses beaux récits pleins d'imagination n'étaient pas couchés sur le papier par une plume digne d'eux.

— Passez-moi l'écritoire, je vais vous refaire tout ça.

— Dites donc, Arouet, dit Hérault, nous ne sommes pas ici pour composer un conte philosophique avec des princesses !

Le lectorat policier avait des prétentions à la véracité, il n'était pas si candide.

En échange de sa participation, Voltaire réclama qu'on lui adjoignît quelqu'un du Châtelet.

— Je n'ai personne en trop, dit Hérault. Qui voulez-vous ?

— Votre meilleur homme : la marquise. La pauvre petite fleur, ne la laissez pas ici, elle est trop délicate pour séjourner dans des endroits dégoûtants !

Émilie se composa une expression de petite fleur délicate qui faisait toujours beaucoup d'effet sur le lieutenant général. Celui-ci promit de ne pas la retenir entre ces murs.

L'annonce que le chirurgien était arrivé mit fin à l'entretien : c'était l'heure de l'autopsie. Comme Voltaire n'était pas censé se trouver dans la capitale, ni la police en être avertie, on enfouit ses traits sous un masque prophylactique, un long nez en carton bouilli comme ceux des brancardiers pendant les pestes.

— Je pensais que vous comptiez la libérer, de toute façon, murmura Tamaillon tandis qu'ils descendaient vers la basse geôle.

— Je préfère qu'Arouet m'en soit redevable, dit Hérault. On n'accroche jamais trop de laisses au cou de cet animal.

Les cadavres étaient conservés dans les caves médiévales de la forteresse, lieu à la fois retiré et rafraîchi. La dépouille dévêtue de la servante assassinée gisait sur une table. L'homme au masque en carton se tourna vers Émilie.

— Dites donc, vous ne l'avez pas ratée.

— Puisque je vous dis que je n'y suis pour rien! s'insurgea la marquise.

Hérault s'était adjoint à l'essai les services de François Quesnay, chirurgien royal de quarante ans : un long visage ovale avec un franc sourire dévoilant les dents du bonheur, une perruque échevelée qui lui donnait l'allure d'un fou ou d'un passionné, ce sont souvent les mêmes, et vêtu d'un tablier en prévision d'une tâche salissante. Cet homme ambitionnait de créer une médecine légale utile aux investigations policières.

— Vous voyez, Arouet, nous aussi nous sommes accessibles à la modernité! dit Hérault.

Pendant que le chirurgien disposait ses instruments, il ajouta en aparté :

— C'est un dément qui m'est imposé par la hiérarchie. Le premier médecin du roi a insisté pour qu'on lui donne sa chance.

Quesnay avait commis un traité sur l'art de saigner les gens, c'était un bienfaiteur de l'humanité. Voltaire bougonna. Un traité sur la saignée vous valait mille grâces, tandis que le sien ne lui apportait que des tracas.

Le bienfaiteur de l'humanité avait prévu des vases à l'usage des spectateurs.

— Quand j'opère en amphithéâtre, c'est un vrai vomissoir, je suis obligé de brûler des herbes, c'est intenable.

Il énuméra les opérations à venir, un examen consciencieux de la victime avec prélèvement et pesée des organes. Dans son dos, Hérault faisait tourner son index près de sa tempe.

La minute suivante fit moins rire.

— Et maintenant, j'ouvre!

— Il ouvre quoi? dit Hérault.

D'un coup de scalpel assuré, le chirurgien fendit la peau du cadavre, dont il entreprit de séparer les côtes avec une scie. Cette invasion parut d'une rare audace.

— Je ne crois pas que je vais donner suite à cet essai de prétendue «médecine légale», dit Hérault, choqué. Cela heurte la décence.

Après avoir longuement étudié les viscères avec une mine circonspecte, Quesnay rendit ses conclusions : leur état dénotait l'usage d'un poison violent. Restait la grande question : comment lui avait-il été administré? On se tourna vers la marquise.

— Je ne suis pas Lucrèce Borgia! se défendit-elle.

— Ce n'est pas par l'estomac, qui est intact, comme vous pouvez le voir, dit le chirurgien, qui tenait une coupelle où gisait l'appareil digestif divisé en deux moitiés.

— Comme c'est intéressant, dit Émilie, tandis que les messieurs se disputaient le vase à vomi.

À force d'observer le corps sous toutes les faces avec une indiscrétion qui parut à Hérault un indice de mauvaises mœurs, voire le symptôme d'un esprit déréglé, Quesnay découvrit une trace de piqûre dans la paume droite.

— Cette personne était-elle employée aux travaux d'aiguilles?

— Sûrement pas! dit la marquise. Je ne porte que du linge de chez Longifil, Margoton n'était même pas assez habile pour broder mes torchons. J'ai une petite couturière à qui je confie les reprises, regardez, dit-elle en retournant l'ourlet de sa robe pour montrer comme il était bien cousu.

Hérault eut un coup au cœur à la vue de la cheville et du mollet qu'on lui présentait sous le point de croix. La cause des marquises progressait à grandes enjambées.

— Je crois que l'innocence de madame est établie !

— Vraiment ? dit Tamaillon. Pourtant... le poison... c'est une arme de femme...

Elles en avaient bien d'autres. Sans quitter des yeux le bas de soie qui moulait la jambe, Hérault appuya son pied sur celui du subordonné qui se permettait d'accabler les colombes immaculées.

François Quesnay déclara que la victime avait probablement été piquée par une aiguille empoisonnée : c'était la probabilité la plus probable.

— Ma chère amie, dit Voltaire en rabattant le jupon, nous enquêtons sur la Belle au bois dormant : la méchante sorcière a encore frappé !

Tandis que ces messieurs s'intéressaient à des aspects du corps humain qu'ils n'avaient jamais eu l'idée ni l'envie de découvrir, il enjoignit à Émilie de ne pas s'inquiéter : il se faisait fort de la sauver. Et pour commencer, il s'esquiva dans l'escalier.

— Qu'en pensez-vous, Arouet? demanda Hérault, dont le ton suggérait qu'Arouet avait intérêt à en penser quelque chose.

Nul ne répondit.

— Le philosophe s'échappe, murmura Tamaillon.

— Oh, il reviendra, dit Hérault : nous tenons la meilleure partie de lui-même.

Il couvait d'un regard attendri la meilleure partie de Voltaire, celle-ci incertaine si on la jugeait mignonne ou appétissante.

CHAPITRE SIXIÈME

*Où l'on se réjouit d'apprendre que les écrivains
sont toujours prêts à s'entraider.*

Voltaire récupéra son Linant chez le traiteur
après avoir réglé la petite note, qui avait doublé
(la garderie au milieu des denrées comestibles
se révélait hors de prix). Les deux hommes filè-
rent à la recherche d'un abri plus stable et moins
coûteux.

— Au pire, vous pourrez compter sur la solidarité des gens de plume, dit l'abbé, qui prenait le
monde des lettres pour une annexe du séminaire.

— Oui, bien sûr, dit Voltaire, ils vont m'accueillir à bras ouverts, vous pensez !

— Tant mieux ! dit le gros abbé.

L'écrivain lui jeta un regard où l'irritation le disputait à l'accablement. Les écrivains étaient utiles
à condition de les prendre par surprise, de les

manier sans qu'ils s'en doutent, comme les lapins qu'on assomme d'un coup sec quand la casserole est prête.

Il inscrivit en tête de liste les plus faciles à tromper : Montesquieu, qui n'y voyait guère, et Mme du Deffand, quasi pareille. On ne peut pas dénoncer les gens qu'on reçoit si on ignore qui ils sont ; or, il est plus facile de déguiser sa voix que sa physionomie.

Linant eut un doute. Ne serait-il pas téméraire d'aller chez cet auteur après avoir répandu cette phrase sur la «décadence de Montesquieu» qui n'avait pas même échappé aux locataires des greniers ? Une âme basse se fût réjouie de le livrer à la police.

— Heureusement, Montesquieu a l'âmc très haute, se félicita Voltaire, qui savait choisir les victimes de ses railleries.

Les gens vertueux étaient ceux qu'il préférait, il en faisait grand usage. Il se rendit compte avec horreur qu'il était descendu au point de dire du bien d'un confrère. La détresse le guettait.

Il tira de son sac de quoi changer l'ancien charbonnier échappé du Châtelet en secrétaire qu'on aurait envie d'engager.

— Il faut prendre soin des vêtements, les vêtements sont précieux, ils disent qui nous sommes.

Les miens disent « personnage d'exception », « talent remarquable » et tout ça. Les vôtres disent…

Le petit bonhomme à la mode d'avant-hier contempla l'abbé rebondi dont l'habit craquait de haut en bas.

— Enfin, voilà, vous m'avez compris.

Il prit quelques instants pour préparer avec de l'encre et du papier sa visite au grand académicien.

Montesquieu habitait un beau quartier, rue Saint-Dominique, cela le prédisposait à recueillir la pensée voltairienne en fuite.

— Il vient d'emménager, il paraît que c'est beaucoup plus grand qu'avant, nous allons voir ça.

Montesquieu, homme précocement usé, aux yeux biglouches, trônait parmi ses livres, tel un Homère des Lumières assisté de son Antigone. Ses cheveux coupés court sous un bonnet d'intérieur accentuaient son profil d'empereur ou de Cicéron au nez d'aigle. Différentes éditions de son essai sur la décadence des Romains étaient éparpillées autour de lui.

Voltaire lui présenta une lettre de recommandation fort authentique puisqu'il se l'était écrite à lui-même. Montesquieu la fit lire par sa fille. C'était un déluge de compliments outrés pour décrire le meilleur secrétaire du monde.

— M. de Voltaire ne tarit pas d'éloges sur votre compte, constata Montesquieu. Pourtant, ce n'est pas son genre littéraire favori.

— M. de Voltaire est un saint homme ! s'écria le candidat avec, dans la voix, un accent de dévotion qui sonnait vrai. Votre seigneurie sera aussi de cette opinion, sans doute ?

— Je ne m'en suis pas aperçu, avoua l'écrivain, la bouche pincée.

C'était qu'il avait la vue basse.

Le mot sur la « décadence de Montesquieu » qui courait Paris avait un peu gâté l'humeur du grand polémiste. Mais, bon, Voltaire était connu pour traiter ses secrétaires avec une exigence qui touchait à la maniaquerie hystérique.

— Oh oui ! fit le compère du candidat, un gros bonhomme à l'air benêt qui avait demandé trois fois le chemin des cuisines.

— Ils sont deux, souffla Antigone à l'oreille d'Homère.

Un homme dont la santé mentale avait survécu à la fréquentation du nuisible en perruque Régence, et qui en retirait même une recommandation dûment signée, ne pouvait qu'être un précieux collaborateur. Il se voyait au chômage par l'effet du fâcheux accident survenu à son ancien patron, cette idole de la pensée pragmatique; l'accident étant qu'on avait publié son livre et qu'il avait pragmatiquement pris la route de l'exil.

— J'en ai ouï parler, dit Montesquieu. Votre maître risque fort de recevoir les coups de bâton que toute son attitude lui fait mériter, mais contre lesquels nous devons nous insurger au nom de la liberté d'écrire des bêtises.

Ce discours suscita sur le visage du postulant une expression que Montesquieu, par chance, était dans l'incapacité de contempler. L'académicien devait envoyer sa fille terminer son éducation au couvent, il avait besoin d'un remplaçant, le protégé du philosophe tombait à pic. Puisque le secrétaire avait son secrétaire, Linant serait utilisé à des tâches plus triviales.

— Quelles sont les qualités de ce monsieur?

Voltaire se retint de répondre qu'il savait dire la messe.

— Chez mon précédent maître, j'avais un abonnement à la Comédie, précisa Linant.

On le garda comme homme à tout faire, à titre gratuit, logé, nourri, un engagement dont on ignorait la portée.

Quoique en soupente, le local était mieux meublé que celui des Dumoulin. Voltaire abandonna une piécette au valet qui le leur ouvrit et le pria de lui monter du café bien fort avec du sucre de canne le mieux râpé. Au lieu de café, on lui confia une liasse de brouillons du maître à copier au propre. L'abbé, en attendant qu'on ait besoin de lui, s'allongea sur le lit pour se reposer, tandis que Voltaire examinait avec un tout petit intérêt la prose de son confrère. Pas question de se pencher interminablement sur ces pattes de mouches, ça allait l'énerver. Puisqu'il avait lui-même son secrétaire, il tenait le moyen de se simplifier le travail.

— Ah oui? fit Linant, toujours curieux d'apprendre de nouvelles façons de s'épargner de la fatigue.

Un instant plus tard, l'abbé recopiait les notes de Montesquieu tandis que l'écrivain, étendu sur le grabat, les bas aérés, songeait au sauvetage des marquises.

— Qu'est-ce qu'un contempteur? demanda Linant, la plume en suspens.

— Le contraire d'un thuriféraire, répondit Voltaire.

Le copiste reprit sa tâche avec l'espoir que la soupe serait grasse.

Le café n'arrivait pas. Voltaire se promit de faire une remarque à Montesquieu sur la piètre qualité du service de chambre. Il laissa l'abbé à ses travaux et s'en fut œuvrer pour le salut des femmes de science avant que sa méditation ne risquât de tourner à la ronflerie.

CHAPITRE SEPTIÈME

Où Voltaire s'intéresse aux jeux d'enfants, dont la chimie.

Voltaire retourna chez Mme du Châtelet pour examiner le lieu du crime. Rue Traversière, un inspecteur montait discrètement la garde sur la chaussée, si bien que tous les tire-laine et vide-goussets se détournaient du plus loin qu'ils l'apercevaient : la présence du factionnaire faisait de cette rue la plus sûre du voisinage. Heureusement, comme toutes les bonnes maisons, celle-ci possédait sur l'arrière une entrée de service que le budget de la police ne permettait pas de surveiller.

Émilie n'était là qu'en passant. Hérault tenait absolument à lui fournir un abri sûr – elle ignorait s'il voulait dire contre les assassins ou contre ses soupirants. Elle était venue rassembler quelques affaires tandis qu'un monsieur planté dans le

vestibule s'assurait qu'elle ne filait pas en Angleterre, ce que Hérault appelait «veiller à sa sûreté».

— Vous êtes bien heureuse : moi, quand il y
a du danger, il me pousse dedans, dit Voltaire,
monté par l'escalier des domestiques.

Il y avait une prime pour les montreuses de
jarretières.

C'était pour Émilie le moment d'embrasser
sa progéniture, dont elle ne savait quand elle la
reverrait. Dans le boudoir trônait une superbe
maison de poupées. Des jouets gisaient partout,
Voltaire avait du mal à se déplacer sans poser le
pied sur un pingouin ou sur une girafe qui faisait
«pouet».

— Pourquoi n'avez-vous pas d'enfant? demanda
l'heureuse maman.

— M'occuper d'un bébé? Le soigner, l'éduquer,
m'inquiéter, ne penser qu'à lui? Cela contredit
ma nature altruiste.

Le cabinet était plein d'instruments, parmi lesquels un télescope pour voir le très grand qui est
très loin, et un microscope pour voir le très petit
qui est tout près. L'écrivain voulut savoir quels événements inhabituels s'étaient produits ces derniers
jours : tout était indéniablement lié, comme dans
les théorèmes euclidiens. Il la pria de récapituler
les événements dans l'espoir d'y déceler une piste.

— J'ai déjà tout dit à M. Hérault.

— Allons, ma chère, les réponses que nous faisons aux idiots sont au niveau de l'auditoire, faites-moi des réponses de philosophe.

Elle ne voyait pas ce qu'il y avait eu de nouveau dans la maison avant l'inconvénient survenu à Margoton, hormis l'arrivée de jouets sans importance, une grande poupée et cette maison peuplée de plus petites. Elle le remerciait d'ailleurs de ces envois : avec toutes ces contrariétés, l'assassinat de sa servante, elle avait manqué à la politesse élémentaire, ce qui était un crime.

Il s'étonna. Il se rappelait bien avoir commandé une poupée-philosophe afin d'orienter tout de suite la descendance émilienne vers des valeurs positives, mais non cette demoiselle en bois vêtue comme une princesse, ni d'avoir compromis les économies de toute une vie par l'achat d'une construction dispendieuse. C'étaient deux erreurs de livraison, on risquait de lui en réclamer le paiement. L'un des gamins avança la main pour ouvrir une petite fenêtre. L'écrivain lui donna une tape sèche et rapide.

— Pas touche ! C'est à tonton Voltaire !

Il se mit à siffler entre ses dents comme font les chats quand ils défendent leur gamelle. L'enfant s'enfuit, épouvanté.

L'heureux acheteur d'un jouet de qualité examina de plus près son cadeau. La maisonnette était fermée à clé : Émilie avait interdit aux enfants d'y toucher avant d'avoir exprimé leur gratitude au donateur. C'était une merveilleuse réduction d'hôtel particulier décorée avec un soin méticuleux. La jolie façade s'ouvrait tout entière à deux portes. L'intérieur se divisait en trois niveaux en plus des soupentes : les poupées avaient aussi leurs bonnes, ce n'est pas parce qu'on est en carton ou rempli de foin qu'on n'a pas droit à son confort. Elles disposaient d'une profusion de petits meubles et d'une vaisselle en porcelaine armoriée. Les enfants-poupées jouaient avec un chien gros comme un scarabée. Sous les franges du lit était caché un pot de chambre, ce qui témoignait d'un grand soin du détail. Au rez-de-chaussée, la cuisine avait ses plats en étain et ses bouilloires en cuivre. Sur les tables, des corbeilles étaient garnies de fruits peints, et les vases, de bouquets en tissus. Sa valeur devait égaler plusieurs caisses de traités philosophiques.

— J'ai cru que vous aviez fait cette dépense extravagante pour me remercier de vous héberger à Cirey, dit Émilie.

— Pas du tout, ma chère, c'est un trait de caractère dont je suis exempt.

Il pensait «l'extravagance», elle comprit «la reconnaissance».

De petits êtres au visage et aux mains de bois prenaient le thé paisiblement dans ce beau décor.

— Ah! Que ne puis-je loger dans cette maison! dit Voltaire. J'y serais mieux que dans les combles de Montesquieu!

Il rangea ce jouet incongru au premier rang des indices.

— Si je comprends bien, dit Émilie, c'est à vous que je dois d'être dans la marmelade jusqu'au cou.

— Avouez que vous vous seriez ennuyée! dit-il avec le sourire du chirurgien qui vous annonce une baisse de tarif sur les amputations.

Un grand silence suivit ces mots.

— Mais, au moins, je risque ma vie pour vous sauver, insista-t-il.

— Oui, vous essayez toujours de remettre de l'ordre après avoir tout chamboulé.

— Bravo, ma chère, vous venez de définir l'essence de la philosophie!

Peut-être le propriétaire du jouet, ou son véritable destinataire, avait-il tenté de le récupérer par des méthodes un peu violentes dont Margoton avait fait les frais. Il se promit de visiter ce fabricant qui se trompait dans les commandes et trucidait le personnel.

Émilie décida d'envoyer ses enfants ailleurs : l'environnement n'était pas sûr, les déboires de la pensée moderne devenaient contagieux. En revanche, la réflexion voltairienne allait bon train.

— Si cet objet est lié à une affaire criminelle, c'est peut-être à moi qu'on voulait l'envoyer…

— Vous ramenez toujours tout à vous, dit Émilie entre deux ordres aux servantes qui emballaient ses culottes.

À mieux y penser, elle se dit que ce jouet était un extraordinaire fauteur d'ennuis.

— Vous avez raison, c'était sans doute pour vous.

— Il faut tout mettre sous clé! déclara l'écrivain.

— Parce que c'est une pièce à conviction?

— Parce que vos garnements vont me l'abîmer! Je ne voudrais pas que le fabricant ou l'assassin me compte des frais!

Tout en vérifiant que les petits meubles ne s'étaient pas éparpillés, il ajouta :

— Ne laissez pas vos gamins y toucher, ce n'est pas un jouet sain. Donnez-leur plutôt la *Poétique* d'Aristote, ça les amusera, j'ai beaucoup ri.

— Certainement, dit leur mère. Ils viennent de découvrir les aventures de Panpan Lapin et de Mme Chaussette, ils sont mûrs pour Aristote.

La maison n'était pas estampillée au nom de l'artisan. Émilie ne s'y connaissait pas en poupées – elle avait toujours préféré les livres et les cornues –, mais elle s'y connaissait en chiffons. La grande figurine s'habillait à La Princesse de Babylone, excellent établissement, Émilie avait vu la même robe sur Mme de Soubise au bal des Rohan.

Voltaire résolut de reconduire la mini-Soubise chez sa couturière. Il l'enveloppa dans un épais chiffon pour protéger son bien et quitta la maison par l'arrière, la poupée sous le bras.

Un peu plus loin, une enseigne de pharmacie lui rappela qu'il y avait aussi la question du poison employé pour tuer la servante : où se le procurait-on ? Était-il rare ou commun ? Le carillon tinta comme il entrait dans l'échoppe où s'était évanouie la gouvernante d'Émilie.

Un meuble couvrait les murs, placards en bas, vitrines alternant avec des rangées de tiroirs, et, tout en haut, des étagères supportant des pots en céramique blanche à décor floral. Voltaire parcourut du regard les mentions latines inscrites sur les récipients. Un écriteau annonçait une promotion sur le talc à perruques, c'était la chance qui l'avait conduit en ces lieux.

— Que puis-je pour monsieur? demanda l'apothicaire.

— Je cherche un poison violent, rapide, imparable.

— Ah, euh, oui… C'est pour quel usage?

C'était pour des rats.

— Combien pèsent-ils, à peu près?

— Dans les cent trente livres[1].

— Ce sont de très gros rats…, dit le pharmacien.

Depuis longtemps il regrettait qu'on n'ait pas songé à installer des cloches pour prévenir la police lorsqu'un dément réclamait des produits vénéneux.

— Puis-je vous recommander la *melissa officinalis*?

— Gardez votre tisane, dit l'homme au plus gros rat du monde. Je cherche à tuer des rongeurs, pas à leur procurer un sommeil agréable. Je pensais à de l'antimoine ou à de la ciguë.

Un produit qui avait expédié Socrate vers le Parnasse devait bien suffire pour une femme de peine. Il tenait avant tout à ce que ses rats ne souffrissent pas, s'endormissent dans un mouvement insensible de tout leur être, et s'en allassent crever dans un fond de placard sans alerter quiconque.

---

1. Soixante-cinq kilos.

L'apothicaire avait grande envie d'alerter du monde. Mais comme il était seul dans son officine et que le fanatique portait un paquet oblong susceptible de contenir une arme, il voulut bien chercher dans sa mémoire quelle substance provoquait l'effet désiré sur le genre de rats que l'égaré avait en tête. Il lui vanta l'élément parfait pour estourbir sans violence excessive un rat de la taille d'une servante, et lui remit un sachet de tilleul en poudre marqué « arsenic ».

Quand le petit maboul s'en retourna, le commerçant vit deux jambes dépasser du paquet qu'il portait sous le bras. Il regretta de n'avoir pas suivi sa première vocation, qui le poussait vers le négoce des épices plutôt que vers celui des préparations à lavement. Après la visite de la gouvernante convaincue d'avoir vu sa maîtresse étrangler la bonne, c'était une triste journée, le quartier baissait à vue d'œil. Il se reprochait d'avoir ouvert boutique en plein Paris, quand il existait tant de petites villes où l'on pouvait écouler tranquillement des pommades contre les furoncles et des pastilles à croquer.

Voltaire chercha un trou où jeter le poison malgré l'usage qu'il pouvait en avoir dans sa vie d'auteur. Se débarrasser de la mixture dans la Seine ou dans la tasse d'un confrère, le dilemme était cornélien.

Il atteignit le commerce à l'enseigne de La Princesse de Babylone. La première pièce avait été pourvue d'un long comptoir derrière lequel s'étageaient des tiroirs. Les modistes avaient été les premières à s'équiper de vitrines pour permettre aux demoiselles de travailler à la lumière du jour. Elles s'installaient dans la fenêtre, la fraîcheur des plus jolies attirait la clientèle masculine. Certaines y gagnaient un mari, la plupart y perdaient leur vertu, dans tous les cas les étoffes se vendaient.

L'intérieur, au rez-de-chaussée d'un hôtel particulier en déconfiture, était une enfilade de salles hautes, peintes à fresque, avec de longues fenêtres et des plafonds décorés d'un ciel en trompe-l'œil où voletaient des angelots. Une multitude de cintres croulaient sous le poids des vêtements. Le principe était de choisir ce qui vous convenait, on l'agrémentait selon le goût du jour, avec des rubans, des dentelles, des collections de boutons en nacre ou en émaux, des boucles de ceinture, des nœuds de taffetas et autres accessoires dont les coffres débordaient.

Des mannequins sans tête, au cou terminé par une poignée en bois qui permettait de les déplacer sans peine, parurent à l'écrivain une illustration de la condition humaine : des êtres sans cervelle, aisément manipulables. Les chapeaux avaient deux rubans parce qu'un seul n'est pas assez, avec une grosse plume de même nuance que le tissu. Les bas de femme étaient de toutes les couleurs, bien qu'on ne fût pas censée les montrer, ce qui suggérait qu'on les montrait.

Il avisa la reine des abeilles qui régnait sur la ruche industrieuse. Mme Lapique, la modiste, était une femme sèche, moins de corps que d'expression, raide comme une trique, et sa manière de s'exprimer suggérait qu'il ne fallait pas espérer lui extorquer le plus léger escompte ou lui payer ses traites après l'échéance du terme. Son attitude s'aggrava quand il lui présenta la figurine en bois. Elle se troubla, nia l'avoir jamais vue, cette poupée n'était pas de sa connaissance. Voltaire s'étonna, insista, persista.

— Face de plâtre! lui lança la dame d'aiguille et de ciseaux avec une élégance de gargotière. Trifouillon! Verbiageur! Algonquin!

Après l'avoir envoyé promener dans des termes qui n'avaient rien de philosophique, elle lui tourna le dos et disparut dans son enfilade de salles pleines de clients qui payaient, et non de questionneurs venus vous faire perdre votre temps à cent sous l'heure.

Il était sur le point de remballer la petite orpheline dans son torchon quand il avisa, sur un cintre, une étoffe très semblable à celle de sa demoiselle, aux rubans pareillement plissés, et constata en y regardant de près que les coutures étaient identiques.

Une cousette couvait le visiteur d'un regard plein d'intérêt depuis qu'il était entré. Voltaire lui montra sa poupée.

— Ma belle enfant, sont-ce vos jolies mains qui ont créé ce petit miracle?

Ce n'étaient pas ses jolies mains, mais les vilaines mains de Catherinette, assise au fond, qu'elle ne lui recommandait pas parce qu'elle bâclait, d'ailleurs elle avait déjà un ami, et même trois, c'était une fille sans moralité, tandis qu'elle-même n'en prenait qu'un à la fois, de préférence des messieurs de bon goût, d'un certain âge, et s'ils étaient coiffés à l'ancienne ça ne la dérangeait pas du tout.

Voltaire était toujours stupéfait de ce qu'on pouvait apprendre sur les gens en une seule phrase quand ils avaient du souffle. Il fit présent d'un louis en or à la demoiselle si complaisante et apprit dans la foulée que ces poupées servaient à répandre les modèles dans les grandes villes d'Europe pour y montrer la mode de la saison, ce qui leur procurait de nombreuses commandes de l'étranger – mais pas de nouvelles connaissances avec des messieurs généreux et raffinés, aussi se concentraient-elles plutôt sur les Français en perruque Régence.

Elle lui révéla le nom du marchand de jouets que la maison fournissait en petits habits. C'était ce même homme à qui Voltaire se souvenait avoir commandé la poupée-philosophe perdue dans la nature, un commerçant à qui il allait expliquer sous peu son opinion sur sa manière d'expédier les colis.

Deux obscurités subsistaient : la curieuse attitude d'une modiste qui refusait de reconnaître son beau travail, et aussi ce que pouvait bien vouloir dire «face de plâtre».

CHAPITRE HUITIÈME

Où l'on voit que les mathématiciens se sortent facilement des labyrinthes.

Par quel mystère la maisonnette et la poupée s'étaient-elles substituées à l'innocente figurine à perruque commandée par le philosophe? Comme l'une des principales préoccupations voltairiennes était d'éloigner Maupertuis de sa marquise, Hérault reçut un mot dans lequel l'écrivain lui conseillait d'envoyer le brillant mathématicien exercer ses talents irremplaçables au département de la surveillance du courrier. Maupertuis était expert en toutes sortes de codes, et un académicien inspirait toujours confiance aux personnes qui n'avaient aucune idée de ce qu'était réellement l'Académie.

Maupertuis avait été prévenu de se tenir disponible pour les forces de l'ordre, aussi le commissaire Tamaillon le trouva-t-il au milieu de ses bagages.

— Un petit voyage impromptu…, dit l'académicien, prêt à s'exiler jusqu'en Prusse pour n'avoir plus à supporter Voltaire ni les idées de Voltaire.

— Allons, détendez-vous, dit le policier, on croirait que je vous fais peur.

— Hi hi, fit le voyageur algébrique.

Tamaillon, sorte de Hérault en plus tassé, voulut conférer de leur affaire, ce qui ne fut pas facile, car son interlocuteur se refusait à entendre prononcer aucun nom, et surtout pas celui du philosophe brûlé proscrit. Le commissaire tâta de la litote : « La personne que vous savez… dans l'affaire que vous savez… pour l'incident que vous savez… »

Maupertuis ne savait rien du tout, ne voulait rien savoir, et le suivit en traînant les pieds.

— Il y a donc un département de surveillance du courrier ? s'étonna-t-il.

— Pas du tout, répondit Tamaillon en pénétrant dans le bâtiment en question.

La maison des postes avait ses secrets d'arrière-boutique, comme tous les endroits auxquels un commerce de façade sert de paravent à un tripot clandestin. Tamaillon fit jurer au savant de ne jamais dire un mot de ce qu'il allait voir. C'était plus solennel qu'une initiation maçonnique.

Ils entrèrent dans une vaste pièce garnie de petits bureaux débordant de piles, les unes de lettres vierges, les autres de courriers ouverts ou recachetés.

— Voilà pourquoi l'acheminement est si long! dit Maupertuis.

Il y avait de grandes bouilloires pour amollir les sceaux à la vapeur, toutes sortes de ficelles pour remplacer celles qu'on avait coupées, de la cire de différentes qualités, et un atelier de gravure de faux cachets à la minute. Un tableau présentait une collection des principaux emblèmes des personnes dont on ouvrait souvent les missives, à commencer par les évêques et les princes du sang. Nulle confidence n'était en sûreté en France, la police était bien organisée.

Les philosophes avaient leur table réservée. Un œil attentif aurait immédiatement noté que Voltaire n'était plus en Lorraine : aucune lettre de lui n'avait été interceptée depuis une semaine.

— Vous n'avez tout de même pas l'audace d'ouvrir le courrier des académiciens? s'inquiéta Maupertuis.

— Non, non, répondit l'officier du roi commis à la surveillance des gens de lettres.

Le savant se promit de rédiger désormais son courrier en mandarin.

Des traducteurs déchiffraient les rapports de ceux qu'on appelait «les ministres étrangers», les diplomates en résidence.

— S'ils l'apprenaient…

— Nous leur répondrions que leur monarque fait comme nous. Que croyez-vous que lit le roi de Prusse, le soir, à la chandelle?

Les employés peinaient à la tâche. Certaines des personnes surveillées écrivaient vraiment trop, c'étaient des pages entières remplies de banalités, l'espionnage induisait sa propre punition.

— Ah! S'il n'y avait que la correspondance de Voltaire! dit le commis. Fine, bien tournée – on apprend la langue avec lui! Et puis, ça fourmille d'infâmes ragots, on a l'impression de lire la presse interdite. Je suis sûr qu'un jour les gens paieront pour l'avoir en volumes.

On tenait décidément entre ces murs des discours révoltants.

— Et pourquoi pas dorés sur tranche, dit Maupertuis, pour qui la société ne pouvait pas descendre assez bas pour prendre plaisir à la prose de l'ignoble trublion.

Un coin de la salle était réservé aux écrits des personnalités, ducs, maréchaux, altesses royales.

— Ne me dites pas que le roi lui-même…

— Oh, non ! Vous n'y pensez pas ! Comment oserions-nous ! Le ministre s'en charge en personne.

On savait que Mme du Châtelet, surveillée à cause de sa liaison avec Voltaire (la subversion était un mal contagieux), avait été la destinataire d'une poupée envoyée sur la requête du philosophe. On avait refermé le paquet après vérification, les jouets n'étaient pas sur la liste des objets dangereux pour le régime.

— Il y a une erreur, là, dit Maupertuis en pointant l'index sur le registre.

Grâce à un rapide examen de la table, son esprit d'analyse avait reconstitué la méthode de l'employé, c'était aussi limpide qu'une démonstration copernicienne : l'homme ouvrait les colis de même provenance, vérifiait leur contenu et refermait tout d'un seul mouvement pour gagner du temps. Cette façon de procéder requérait attention, ordre et rigueur. Le capharnaüm ambiant rendait un accident possible. Cet homme avait noté les arrivées dans un sens avant de cocher les départs dans un sens différent : de toute évidence, il avait envoyé le paquet de Jean-Pierre chez Jean-Paul.

— Impossible ! Cela ne m'arrive jamais ! jura l'employé, la conscience professionnelle incarnée, un artiste de l'indiscrétion légale.

95

Pourtant, certains noms avaient des effets singuliers sur les gens normaux. Maupertuis doutait que celui de Voltaire, au centre d'un maelström d'agitation politique, ne provoquât point chez ces gratte-papier une nervosité dont les signes étaient particulièrement visibles chez celui-ci. Lui-même ne pouvait évoquer le perturbateur sans ressentir de l'impatience.

— Voltaire! dit-il très fort dans les oreilles de l'indiscret.

Celui-ci sursauta, deux lettres qu'il venait d'ouvrir sautèrent en l'air. Au deuxième «Voltaire!», elles se mélangèrent, au troisième on ne pouvait plus dire laquelle était pour qui. Le commis ne savait plus où il en était, on le crut sur le point de sangloter.

Maupertuis consulta le registre aux adresses. Il y avait eu maldonne. Tandis que la maisonnette et la poupée en robe de bal bifurquaient vers la demeure de Mme du Châtelet, le pantin emperruqué commandé par l'écrivain quittait Paris pour un long voyage en Westphalie, baronnie de Thunder-ten-tronckh. Et voilà comment des mathématiciens à l'œil d'aigle se retrouvaient dans l'antre de l'inquisition postale, à s'infliger des tâches indignes d'eux!

— Vous êtes parvenu à la même conclusion, je suppose, dit-il au commissaire.

La conclusion de Tamaillon, c'était qu'il fallait engager des académiciens pour réorganiser ce service.

CHAPITRE NEUVIÈME

Comment Voltaire trouva chez Montesquieu moins d'esprit que de lois.

Le nouveau secrétaire de Montesquieu remplissait mal son emploi, il était souvent absent et commentait la pensée du maître lors des séances de travail.

— Je vois que l'esprit de Voltaire a beaucoup déteint sur le vôtre, dit l'écrivain, ce qui fut pris pour un compliment.

Montesquieu n'avait jamais fui son pays, jamais été la cible d'une lettre de cachet, jamais couché à la Bastille ; cela témoignait, aux yeux du secrétaire, d'un manque évident de caractère. D'autres, plus courageux, subissaient une glorieuse réclusion dans les donjons lorrains, ou du moins leur mannequin coiffé de leur perruque.

L'assistant interrompit sa lecture à haute voix d'un texte en cours de rédaction.

— Il y a une faute, là, dit-il. Votre doigt aura fourché.

Montesquieu avait besoin de lui pour collationner ses notes en vue d'un livre qu'il envisageait d'intituler *L'Esprit des lois.*

— *Mauvais titre!* grommela l'assistant, qu'on entendait marmonner dans sa barbe.

— Plaît-il? dit l'auteur.

— J'espère que vous y mettrez plus d'esprit que de lois!

— J'y mets ce que je peux, dit l'académicien.

— Je vois cela. «Réflexion sur l'esclavage : les nègres ont le nez si écrasé qu'il est presque impossible de les plaindre. On ne peut se mettre dans l'idée que Dieu, qui est très sage, ait mis une âme, surtout une âme bonne, dans un corps tout noir.» Je ne sais si cela en dit davantage sur les Africains, sur Dieu ou sur vous.

— Sans esclaves dans nos plantations, point de sucre sur nos tables, se défendit le planteur bordelais.

— Est-ce un roman?

— Non, monsieur, c'est de la philosophie.

Voltaire jugea en son for intérieur que ces réflexions sucrières ne mettaient pas très haut la philosophie.

Il déclara qu'il s'y connaissait un peu, et d'ailleurs il avait lu la précédente parution, celle sur la décadence. Flatté, Montesquieu s'attendit à des compliments. Permission lui fut demandée d'émettre une remarque sur ce «magnifique ouvrage qui éclairait l'humanité et plaçait son auteur au premier rang de la pensée moderne». Cela ne fut pas refusé.

— Une critique intelligente ne saurait être désagréable, dit Montesquieu, bien disposé par ce préambule. L'écrivain est toujours content de voir que son œuvre a été comprise, même dans ses défauts. L'intelligence est plus rare et plus précieuse que la louange.

— C'est bien aussi mon avis, dit Voltaire, qui n'avait jamais pu souffrir qu'on dise un mot contre ses œuvres.

Il crut que le couvert d'une identité d'emprunt l'autorisait à exposer sa pensée toute nue.

— Le titre est trop long. *Considération sur les causes de la grandeur des Romains et de leur décadence*! Comment voulez-vous que le lecteur retienne ça? Vous auriez dû raccourcir en *Grandeur et décadence*. Ou mieux : un seul mot. Le prénom d'une héroïne serait parfait.

— C'est un traité politique…

— Ah. Oui. Vous n'y mettez pas du vôtre, aussi. Je connais d'excellents philosophes qui font passer les idées les plus subtiles avec un peu de sauce.

— Avec de la sauce?

Montesquieu commençait à ne plus savoir dans quelle cuisine il était tombé.

— *Les Malheurs de Poppée*, tiens! Voilà un titre qui accroche!

Il se fit un grand silence du côté de Montesquieu, dont la bouche béait.

— J'aimais beaucoup mieux vos *Lettres persanes*, avec vos histoires de coucheries dans les harems, reprit le secrétaire à long nez. Vous auriez dû poursuivre dans ce genre-là, il vous seyait mieux : moitié conte, moitié pochade.

Montesquieu tâtonnait discrètement sur le guéridon à la recherche d'une sonnette.

Après la forme, le fond. Il fut reproché à l'auteur d'avoir traité à la légère une matière importante, son propos était plein d'aperçus, c'était moins un livre qu'une ingénieuse table des matières dans un style bizarre.

— Un style bizarre? répéta l'aveugle.

De l'avis du secrétaire, un penseur devait se libérer du joug royal pour s'étendre pleinement sur des sujets polémiques. Il lui recommanda de s'exiler. À Londres, il aurait pu donner libre cours à ses pensées à l'intérieur de lettres philosophiques.

À Paris, il était contraint de les restreindre. C'était pourquoi, sans doute, le développement de ce livre était tout ratatiné.

— Tout ratatiné ? répéta Montesquieu.

— À défaut de Londres, il y a Nancy. La Lorraine, voilà un duché propre à la réflexion !

— La Lorraine ?

Montesquieu semblait avoir avalé un bouchon du bordeaux de ses vignes qui restait coincé.

— Pourtant, mon texte…

— Alors là, vous vous égarez, mon pauvre ami ! dit le secrétaire, qui compulsait le projet de traité de telle manière que les pages volaient autour de lui.

«Mon pauvre ami» ne passa pas du tout. Mon pauvre ami ne détempêta point qu'il n'eût pris des mesures énergiques. Celles-ci envoyèrent le critique littéraire sur le pavé de la chaussée avec toutes ses petites affaires.

— Chassé par Montesquieu ! s'exclama Voltaire devant la porte close. Attends un peu que j'écrive un petit pamphlet sur ta décadence, mon gaillard ! Ça rédige des traités sur l'intelligence, et ça fiche dehors le premier secrétaire un peu pertinent qui le commente ! Les voilà, ces philosophes qui ne supportent pas la contradiction !

Il ne revenait pas d'avoir vu un penseur trahir les maximes de ses propres ouvrages. Cruelle désillusion!

— Je vais publier à son sujet une petite lettre qui ne sera pas persane!

En attendant, ils étaient à la rue. Le libre arbitre ne nourrissait pas son homme. Linant ramassait leurs effets, qu'on ne leur avait pas laissé le temps d'emballer, avant qu'âne ou mulet n'en fît ses délices.

Un monsieur filiforme approchait en chantonnant un air d'*Hippolyte et Aricie*, ce succès de la scène lyrique. C'était le compositeur. Ils n'eurent que le temps de se rencogner dans une embrasure, ce qui leur coûta trois culottes dont un cochon en vadrouille se régala. Jean-Philippe Rameau était vraiment le musicien le plus brillant de son temps, il avait encore retrouvé leur trace, il venait réclamer son livret d'opéra. À croire que les gammes préparaient mieux aux filatures que l'exercice de la police. Il importait de décamper.

Le bruit aux carrefours était assourdissant. De leurs voix aigres et perçantes, le porteur d'eau, la crieuse de vieux chapeaux, le marchand de ferraille, le tanneur, la vendeuse de marée, «Maquereaux! Harengs!», se faisaient un concours de braillements discordants.

— Pourquoi aller au spectacle? dit Voltaire. C'est l'opéra de Paris, c'est tous les jours et c'est gratuit!

Il s'éloigna en fredonnant *Dieu d'amour pour nos asiles*, accompagné par le chœur des marchands ambulants, «Peaux de lapins!», «Elle est fraîche la marée!», «Qui qu'en veut des p'tits pois?», une version qui peut-être n'eût point convenu au musicien. De ce brouhaha naissait l'ordre voltairien, et la rectitude de l'effervescence, et l'harmonie de la cacophonie.

Hélas, la marche à pied vous replongeait dans la réalité de la vie. Le tout-à-la-rue restait la règle en attendant le tout-à-l'égout. Ils progressaient dans les boues malodorantes, menacés par les tourelles d'aisance d'où tombaient des ordures, par les carrosses qui vous disputaient le passage au risque de vous éclabousser. Vivre derrière la protection des murs, des porches et des voitures ne préparait pas à affronter la noirceur de la ville, avec ses gibets, son cloaque, ses mendiants pleins d'ulcères, les vociférations de ses cochers, sous l'œil de coupe-jarrets prêts à vous détrousser.

— Notre époque devrait choisir entre les bas blancs et les rues crottées, dit Voltaire : les deux se marient mal.

Il lui fallait un autre myope chez qui élire domicile. Par chance, sa mémoire était un almanach des malvoyants.

— Dans mon métier, il faut avoir une liste complète des aveugles, des sourds et des imbéciles.

Il savait chez qui frapper.

CHAPITRE DIXIÈME

*Où l'on voit que la quête de la vérité
n'est pas un jeu d'enfant.*

Cahin-caha, ils arrivèrent sous l'enseigne en
forme de cheval de Troie à roulettes qui signalait
la boutique de jouets.

C'était un univers à part, peuplé de souris blanches debout sur deux pattes, vêtues en empereur
de Chine, montées sur des chameaux, de lapins
sous des ombrelles, de demoiselles dont les yeux
d'idoles phéniciennes leur mangeaient la figure,
tenant elles-mêmes une poupée plus petite qui
tenait une poupée minuscule, de mannequins en
bois peint, aux mains comme des cuillers, plus
richement vêtus que les dames de cour, de lillipu-
tiennes en chignon doré épaisses comme le doigt.

Poupées de cire, poupées de son, poupées pour
petits nobles, en pourpoint brodé et perruque

longue à la Louis XIV… Dans ce royaume de fées, les femmes étaient presque toutes mignonnes, souriantes et muettes. Un petit nombre avait la figure grave, la peau blanche ornée de mouches, deux disques rouges sur leurs joues fardées. Une négresse, la bouche entrouverte pour qu'on vît bien ses belles dents d'ivoire, était parée comme une princesse. Un présentoir était recouvert de marionnettes à main aux expressions grimaçantes, bouffons, diables, sorcières munies de bâtons pour en menacer les enfants dissipés.

Vingt ans plus tôt, les poupées n'étaient encore que des bouts de chiffon grossièrement travaillés. Depuis que s'était répandue la mode des pantins, arlequins, scaramouches, mitrons, bergers, bergères, les peintres qui les décoraient faisaient d'elles de charmants résumés de la grâce féminine, et les duchesses versaient un an du salaire d'un clerc de notaire pour une figurine peinte par Coypel ou par Largillière.

Dans un atelier de l'arrière-salle, des ouvriers façonnaient, coloraient, plantaient les cheveux, habillaient ces images parfaites de l'enfance.

M. Gépétaud, un petit bonhomme replet, bedonnant, sinon barrique au moins demi-barrique, vit pénétrer dans son magasin un monsieur muni d'un paquet suivi d'un autre encombré de bagages.

Voltaire ôta le drap qui protégeait sa poupée. Le marchand leva les bras.

— C'est donc vous qui l'avez!

Noé avait réchappé du déluge. L'apparition fit plus d'effet que le retour de la fille prodigue.

— Annabelle! Pauvre petite, je me suis fait un sang d'encre! Alors, mauvaise graine, comment va-t-on? On a fait une fugue? On est allée danser le quadrille dans les guinguettes?

À le voir lui parler comme si elle était vivante, Voltaire se dit que cet homme était fou. Puis il lui demanda si on avait connaissance d'un philosophe égaré par la poste et d'une maison dans un boudoir, si bien que l'impression fut réciproque.

Il sentit une traction. Le marchand tirait sur Annabelle pour l'amener à lui. Voltaire tira de son côté. Pas question de lâcher un indice tout juste identifié, il fallait être un néophyte pour espérer lui faire abandonner un argument, les plus grands débatteurs s'y étaient cassé les dents. En l'occurrence, ce furent les jointures d'Annabelle qui menacèrent de rompre; celui qui l'aimait le plus lâcha prise, celui qui ne la prenait pas pour une fillette en chair et en cheveux l'emporta.

Le marchand ne comprenait pas comment la maisonnette avait perdu son chemin, il la croyait en Westphalie, où les céramistes devaient l'agrémenter de faïences qui ne se fabriquaient que là-bas.

— Vous l'avez vue ? demanda-t-il avec enthousiasme. N'est-elle pas splendide ?

Voltaire ne comprenait pas l'intérêt de garnir un jouet avec des terres cuites d'un lieu précis, cet homme était un maniaque. Comment pouvait-on s'obnubiler avec des détails décoratifs aussi puérils ? Il haussa les épaules tout en rectifiant dans le miroir le tombé des dentelles mousseuses piquées à son col. Enfin ! Tout le monde ne pouvait pas se passionner pour les nuances de principes véritablement importants tels que la cosmogonie zoroastrienne.

M. Gépétaud tira de ses archives la lettre de commande envoyée de Lorraine par Voltaire. L'écrivain l'avait tournée dans un style plein de mystère et s'était abstenu de signer à cause de la police. Les trois envois de la maisonnette, du pantin et de la poupée étaient partis le même jour. C'était donc le philosophe en réduction qui se promenait à ce moment en Westphalie. Voltaire était bien heureux pour le baron de Thundermachin, il réclama remboursement de son achat. On lui assura qu'on le dédommagerait dès qu'on aurait récupéré la maison parvenue chez la destinataire de ses bontés. De son côté, puisqu'on ne pouvait lui rendre sa poupée philosophe égarée dans les baronnies, il refusa de relâcher Annabelle. Le marchand parut bien contrit.

Tandis que le brave homme compulsait son registre, Voltaire se glissa dans une pièce contiguë meublée d'une grande armoire fermée, qu'il ouvrit, car rien n'est plus intéressant que ce qui est caché, surtout quand on a une énigme à élucider. Au milieu de poupées, il vit une fiole de poudre blanchâtre dont l'étiquette était marquée d'une tête de mort. Voilà qui était bien macabre pour de si aimables créatures. La fiole tomba subrepticement dans la poche du philosophe.

Au milieu de la paperasserie, M. Gépétaud égrenait pour Linant les déboires de la baronnie de Thunder-ten-tronckh. Le fragile équilibre de ce petit territoire était mis en péril par la guerre de Pologne, un conflit provoqué par Louis XV pour procurer un trône à son beau-père – on pouvait en déduire que s'il y avait moins de rois et de beaux-pères, il y aurait moins de guerres.

Ayant épuisé le sujet des malheurs de la guerre et des baronnies teutonnes, le marchand voulut savoir où son bien avait atterri et si le philosophe s'en portait acquéreur. Il n'était pas encore né, le renard qui arracherait le fromage du bec de Voltaire, ce fut son porte-monnaie qui répondit.

Au vu d'une facture où figurait un montant exorbitant pour un jouet, il répondit que la maisonnette était chez Mme du Châtelet, que l'on pourrait passer la prendre quand on voudrait, mais qu'en ce moment elle n'était pas chez elle ; il ne pouvait dire où elle logeait ; on allait devoir attendre ; le marchand n'avait pas l'air de vouloir attendre.

Soucieux d'orienter la conversation vers un sujet qui n'engageait pas son modeste pécule, Voltaire fit compliment de la belle robe que portait sa poupée.

— Ce sont des fanfreluches, dit le marchand sans leur accorder le moindre intérêt.

Il expliqua sans barguigner qu'il fournissait les modistes qui expédiaient partout en Europe des modèles réduits de leurs créations. La poupée de couture était fort attendue dans les Allemagnes, sans quoi les Allemandes ne savaient pas quoi se mettre sur le dos la saison prochaine.

Gépétaud s'enorgueillissait en revanche de collaborer avec M. Vaucanson, ingénieur de talent, pour la conception d'automates de taille humaine.

— Quelle idée loufoque ! dit Voltaire.

Il était opposé à la création d'un homme sans conscience, il y en avait déjà trop.

Pendant ce temps, au Châtelet, Hérault était en proie à la plus vive stupéfaction. Devant lui, un saute-ruisseau[1] de M. de Breteuil, l'ancien ministre de la Guerre, lui tendait une lettre de cachet qui ordonnait de saisir le nommé Voltaire, rentré clandestinement dans le royaume.

Devenu gentilhomme de la reine après l'avoir été du roi, François de Breteuil avait assez d'influence à la cour pour obtenir l'incarcération de l'agitateur. Il tenait à l'éloigner de sa cousine, menacée d'un scandale qui eût éclaboussé la famille entière. Un cadavre, un philosophe, c'était trop, il fallait se débarrasser de l'un des deux, et Voltaire était plus néfaste que les morts, il bougeait davantage. La cour comprendrait peut-être qu'on ait trouvé les placards d'Émilie encombrés d'un cadavre – qui n'en avait pas ? –, mais la présence concomitante d'un écrivain jetterait l'élite du royaume dans des interrogations qu'un Breteuil officier à Versailles ne pouvait souffrir. La seule cause réelle de disgrâce des hauts serviteurs de l'État, c'était le faux pas.

Hérault fit une tentative.

— J'ai ici un rapport qui le dit en Lorraine.

On avait prévu la manœuvre.

---

1. Employé de bureau qui porte les messages.

— J'ai ici un rapport qui le dit à Paris, répondit le saute-ruisseau.

— Ah tiens ? Et où l'aurait-on vu ?

— Dans votre cabinet. Avec la cousine de M. le ministre.

C'était un coup du lieutenant civil. Voilà maintenant qu'il fallait envoyer en prison les philosophes pour plaire aux chefs de famille ! À ce compte, on n'était pas près de trouver les *Lettres philosophiques* en librairie. À défaut d'enfermer Arouet, ce dont Hérault n'avait cure, il sentit qu'on s'en prendrait à la belle Émilie, ce qui lui déplaisait. Plutôt noyer les rats pour sauver le joli navire. Hélas, hélas, une fois Voltaire embastillé, qui ferait le travail de la police ?

Il lui fallait remettre la main sur l'échappé de Cirey. Où le chercher ? Alors qu'il feuilletait la *Gazette*, son regard s'arrêta sur une affichette publicitaire.

— Nous le tenons ! dit-il de sa riante voix caverneuse.

CHAPITRE ONZIÈME

Où les philosophes se disent qu'il vaut mieux éviter
de mettre le nez dans la poudre.

Mme du Deffand était connue pour dire du mal de son prochain, ce qui est un crime impardonnable, mais avec beaucoup d'esprit, alors on lui pardonnait. Sa principale qualité était sa mauvaise vue.

— Allons voir Mme du Deffand qui ne nous verra pas ! se réjouit Voltaire.

L'épistolière habitait une maison du faubourg Saint-Germain, cela convenait parfaitement : beaucoup de calme pour réfléchir, un calme central, bien fréquenté, avec un personnel nombreux. Habituellement, la marquise offrait tout cela à ses hôtes en échange de conversation. À Voltaire incognito, elle risquait de demander davantage.

On annonça Modeste Tairvol et son valet Pignouf. Sous ces noms impénétrables, deux messieurs furent introduits dans un salon en rez-de-jardin tendu d'un tissu bouton-d'or qui souleva l'enthousiasme.

— Très joli! Je veux le même pour Cirey!

— Dans quelle pièce? demanda Linant.

— Dans celle que je ferai bâtir. C'est un château sans pièces. Vous verrez, on n'y rencontre que des courants d'air et des fuites d'eau.

L'abbé n'était pas pressé de voir. Il ne sentait pas la nécessité d'aller s'enrhumer en Lorraine quand il pouvait s'incruster à Paris dans des salons bouton-d'or déjà tout construits.

La vue de Mme du Deffand était d'autant plus basse qu'une conjonctivite l'obligeait à porter des verres teintés au travers desquels elle ne distinguait rien. Elle n'était pas encore très âgée, mais déjà un peu empâtée par le manque d'exercice consécutif à sa mauvaise vue. Si elle ne vous regardait plus dans les yeux, son visage respirait néanmoins une telle intelligence qu'on regrettait sa cécité, non par compassion mais par respect pour l'intelligence. Elle avait le maintien un peu raide et les manières trop parfaites d'une personne qui fut longtemps à la cour, et sur la tête un gros bonnet de dentelle serré par un ruban de satin bleu.

Son visiteur savait par quel bout la prendre : c'était par la vanité, sur laquelle il convenait d'appliquer une forte couche de flagornerie.

— J'étais hier chez la duchesse de Montbéliard, elle vantait fort l'acuité d'esprit de Mme la marquise, susurra le postulant.

Dans sa situation, l'épistolière avait de l'emploi pour un lettré doté d'une belle écriture.

— Votre voix m'est familière…, dit la maîtresse des lieux, qui n'était pas sourde.

— C'est, madame, que j'ai eu la chance de jouer à la Comédie.

— Peut-être. Dans quoi avez-vous joué?

— Dans les tragédies de M. de Voltaire.

— Ce n'est pas ça, je n'y vais jamais.

Elle demanda quels étaient ces gargouillis d'estomac qu'elle entendait sur sa droite. On lui présenta le factotum.

— Tiens donc, mon secrétaire a un valet!

— Parfaitement, il sait tout faire : la cuisine, la vaisselle, et même dire la messe.

— Nous n'aurons pas trop besoin de ça ici, dit la marquise, qui n'allait pas plus à l'église qu'aux spectacles de Voltaire.

— Oh, nous savons que Votre Seigneurie n'est pas folle de la messe[1].

Le mot fit rire et les fit agréer. Quoiqu'un peu vulgaires, les contrepèteries étaient un plaisir que

---

1. Célèbre contrepèterie de Rabelais.

l'on pouvait se permettre s'il venait des inférieurs. La marquise devina chez ce Tairvol un penchant pour la raillerie qui ne serait pas inutile lorsqu'il s'agirait de mettre en forme ces lettres spirituelles dont l'Europe entière se régalait.

La du Deffand lui demanda s'il tâtait de la littérature. Il apparut que cet homme en tâtait, il avait même des projets pour renouveler le genre du conte :

— On pourrait en écrire qui raconteraient des crimes et le moyen d'attraper les coupables.

— Des livres avec des crimes? dit la marquise. Avec des assassins? Des manigances? Quelle bassesse! Fi! Cela n'intéressera jamais!

Voltaire admit qu'il avait le défaut de beaucoup imaginer.

— À quarante ans, il faut se guérir de ses défauts, dit la marquise : ils ont cessé d'être mignons.

Elle les quitta pour donner ses ordres. Voltaire en profita pour fureter à l'intérieur des meubles.

— Je cherche ce qu'elle aurait pu écrire sur moi, dit-il à Linant, qui rougissait. Elle est maligne, c'est un petit serpent à qui on ne peut pas faire confiance.

L'abbé se dit qu'il en connaissait d'autres.

Comme leur nouvelle patronne avait épuisé son quota de perfidies et qu'elle devait en glaner d'autres, les recrues eurent quartier libre : son salon allait se remplir de tout ce que Paris comptait de sommités des lettres, des arts et des sciences. Voltaire se hâta de déguerpir, il ne voulait avoir aucun contact avec ces gens-là.

Sa garde-robe avait souffert du départ précipité de chez Montesquieu, et avant cela de ses autres aventures, le pot à lait, la soupente, les pérégrinations sans fin. Il remarqua dans la *Gazette* une affichette pour un lot de perruques coupées dans l'ancien style, le beau, celui qui vous couvrait les épaules de grosses boucles luisantes. Détail primordial, elles étaient fabriquées en poils de yack. Un réformateur bien de son temps devait se maintenir à la pointe de l'innovation et à celle du grand chic : l'annonce était un aimant à philosophe.

Il se réjouit de constater qu'en son absence la recherche avait continué de faire avancer le domaine de la perruque à marteaux.

— Rendez-vous compte! dit-il à Linant pour tâcher de l'éveiller à l'admiration du progrès capillaire. Nous vivons des jours d'une modernité presque impossible à suivre!

La perruque en poils de yack exerçait un attrait irrésistible, l'écrivain voulait avoir l'élégance himalayenne. Sous l'incognito de cette nouvelle coiffure, il pourrait prendre un meublé : nul ne reconnaîtrait Voltaire, le philosophe Régence, sous la bouclette au dernier cri des bonzeries tibétaines.

Pour passer inaperçu dans l'intervalle, il posa un bonnet de feutre sur cette tête destinée à devenir le support du poil de bovidé finement ouvragé. Nos deux aventuriers intrépides quittèrent l'asile de la marquise, qui commençait dangereusement à se remplir de penseurs, pour se rendre à l'adresse mentionnée dans le journal, l'un sautillant de joie anticipée, l'autre résigné à ronger son frein jusqu'à l'heure du dîner.

La peinture de l'enseigne montrait un visage outrageusement chevelu sous la mention «À la belle frisette». Sur les étagères se bousculaient des têtes en bois brun polies comme des œufs d'autruche qui servaient de reposoir à des cascades de cheveux poudrés, voire de mèches en crin ou en laine à l'intention des domestiques. Il y avait là les quarante-cinq styles de postiches décrits par l'*Encyclopédie perruquière*, ouvrage que tout galant homme se devait de posséder dans sa bibliothèque. Cet étalage de trophées semblait un mémorial dédié à la carrière du bourreau de Paris. Un cri les fit sursauter.

— Monsieur de Foltaire! s'exclamait une personne à l'accent germanique.

Il apparut que le bonnet n'était pas un déguisement propre à tromper un coiffeur.

— Mais non, pas du tout, dit Voltaire, je vous assure que vous vous méprenez, je ne lui ressemble même pas, regardez.

Il baissa le bonnet jusqu'à ses sourcils.

— Comment ne pas reconnaître le saufeur de la perruque Réchence, le défenseur du grand art capillaire, le crâne chénial sur lequel tout perruquier rêfe d'exercer un chour son talent!

— C'est bien moi, concéda le penseur, incapable de mentir à un homme si avisé. Mais chut! Je suis venu incognito.

Le bonheur d'accueillir son idole donnait au commerçant un sens de l'incognito très relatif. Ce furent aussitôt dans l'échoppe la grande fête et les petits soins. Il fit apporter du café, le meilleur, pour désaltérer la géniale glotte. Les clients qui entraient demandaient quel était ce haut personnage qui suscitait tant de mouvement autour de sa personne. On leur répondait que c'était le signor Incognito, noble Parmesan venu confier son visage aux plus grands maîtres parisiens. On vit que le signor Incognito avait gardé le goût des rouleaux postiches à l'ancienne, Parme n'était pas encore passé au catogan.

Tandis qu'on essayait sur lui les produits du yack, Voltaire énumérait les avantages du style Régence.

— Seule la perruque longue habille harmonieusement un visage long. La perruque ronde ne convient qu'aux figures ovoïdes. Je refuse d'être enlaidi au nom de la mode, c'est à elle de se plier à moi!

Force était de constater qu'elle pliait difficilement.

— C'est la mode qui a changé, non moi. S'il lui plaît de bouger, c'est son affaire.

— Brafo! approuva le coiffeur, qui s'était échiné à maîtriser l'art de boucler Régence et ne faisait plus que des frisottis Louis-XV.

La mode n'était pas la seule qu'on désirait voir entravée. La porte au carillon s'ouvrit à la volée sur une poignée de mal coiffés qui croyaient pouvoir vitupérer dans le paradis capillaire.

— Police! Restez où vous êtes!

Tous les clients avaient la tête sous une serviette ou le front couvert de mèches qui leur tombaient sur les yeux. Les adjoints de M. Hérault déclarèrent qu'ils venaient arrêter un philosophe en fuite. Le perruquier rougit de fureur.

— Il n'y a pas de philosophe ici! Ma boutique est une dépendance du royaume de Saxe! Che fous prie de sortir!

Les policiers supposèrent qu'il prenait son commerce pour une concession diplomatique. Le commissaire gronda, menaça du cachot l'ensemble des personnes présentes, il voulait Voltaire, il y avait de l'avancement administratif attaché à ce nom-là. Les index des messieurs sous les serviettes se tendirent vers un seul d'entre eux.

Il se produisit alors une explosion. Une explosion de poudre. Un gros sac avait crevé, son contenu se répandait en nuage. Le perruquier attaquait la police avec un soufflet chargé de talc.

— Saufez-fous! cria-t-il tandis que tout s'effaçait dans la blancheur.

Les poires à parfum criblaient la police. Aveuglés, pleurant, les intrus empoignaient n'importe qui dans le brouillard blanc, sous les hurlements du Saxon :

— Fife la perruque Réchence! Liberté pour les poils! Houppette vaincra!

Il était indomptable. Voltaire saisit au hasard la première coiffure à sa portée et se laissa entraîner vers l'arrière par l'abbé.

Parvenus à plusieurs rues de là, ils cessèrent de courir et se tinrent au mur pour reprendre haleine. Ce coiffeur leur avait évité de se faire boucler. Linant avait sous les yeux une tête de Voltaire en chignon, orné d'un toupet fabriqué pour les dames dont les cheveux n'avaient pas résisté à la mode du tirage et du serrage. Au lieu de rouleaux, une cascade de jolies frisures mignonnettes encadrait ses traits émaciés.

Linant craignit que ce bon Saxon ne risquât des ennuis.

— Pensez-vous! dit Voltaire. Tant que ces messieurs de la cour n'iront pas tête nue, ces artisans seront intouchables. Je vais d'ailleurs écrire un petit libelle sur l'esprit de tolérance du peuple de Saxe.

Le progrès capillaire avait failli lui coûter sa liberté, l'élégance était un esclavage.

Dans la boutique, la poudre était retombée sur une assemblée de bonshommes de neige. Ceux qu'on avait saisis furent hâtivement débarbouillés. De manière générale, les policiers s'étaient saisis eux-mêmes. Une ribambelle de fantômes blanchâtres fuyait de par les rues adjacentes, une serviette au cou.

— Nous l'aurons chez les marchands de café! se promit le commissaire.

CHAPITRE DOUZIÈME

Où l'on mesure combien la philosophie peut
se révéler empoisonnante.

René Hérault prétendait garder Mme du Châtelet sous surveillance. Pour préserver la réputation de la marquise, il avait décidé de la loger chez lui, où vivait sa femme, une offre si généreuse qu'elle ne put être refusée.

La maison des Hérault n'était pas un séjour de délices. D'abord, Émilie subissait les assiduités du principal habitant, qui grattait à sa porte, la nuit, sous prétexte de faire le point sur leur affaire.

— On est encore assez jeune, là, à l'intérieur, disait Hérault en indiquant sa poitrine.

C'était si loin à l'intérieur que la marquise n'y pouvait rien voir.

— On a un cœur qui bat comme s'il avait vingt ans !

Elle eut envie de lui prescrire de la camomille.

— Mais rassurez-vous! Je suis gentilhomme!

Elle fut rassurée, et plus encore par la brosse à manche de fer qu'elle tenait serrée dans son poing pour l'abattre sur le premier appendice, main, pied ou autre, qui s'autoriserait des privautés.

Elle avait espéré que Mme Hérault ferait à son mari quelque remontrance de son attitude. Tout au contraire, ces égarements arrangeaient bien l'épouse, que les battements de son propre cœur occupaient ailleurs. Émilie comprit bientôt qu'elle trompait le pauvre homme, tellement plus âgé qu'elle, avec le beau marquis de Contades, parti guerroyer sur le Pô. Mme Hérault lui écrivait tous les jours, c'était sa participation au soutien moral des troupes. Émilie était tombée dans la maison de l'adultère consenti. Dire que son protecteur prétendait l'y enfermer pour sauver sa réputation!

Comme Hérault était tout le jour à son Châtelet, et sa femme là où la conduisaient ses élans sentimentaux, Voltaire en profita pour rendre visite à la recluse.

Émilie se déclara prisonnière comme Raiponce. Le roi de la maison était le petit chien Chouquette : il avait son propre mobilier copié du grand, avec un lit à baldaquin en guise de panier. De plus, elle avait vu, dans un boudoir, un portrait d'elle au-dessus d'un secrétaire. C'était gênant, elle voulait s'en aller. Elle exhorta son ami à saisir au plus vite l'assassin, dont les crimes avaient des conséquences insupportables. Aussi apprit-elle avec surprise qu'il avait d'autres préoccupations.

— Dites, vous qui avez de l'ascendant sur ce Hérault, ne pourriez-vous le convaincre de me laisser en paix ? demanda-t-il.

Elle le regarda comme s'il venait d'injurier la lignée entière des Breteuil dont elle descendait.

— Sans doute, mon ami, répondit-elle d'une voix dont la douceur avait quelque chose d'alarmant. Mais, pour cela, il faudrait que j'aie avec lui le genre de proximité que j'ai avec vous.

L'écrivain réfléchit, hésita, résolut de ne pas insister, principalement en raison d'une alerte de survie qui se déclenchait dans son crâne lorsque sa marquise avait ces yeux-là. Il lui baisa la main.

— Je ne saurais exiger de vous un sacrifice dont je resterais inconsolable, ma chère amie.

Et puis, sa façon de le dévisager n'incitait pas à poursuivre sur ce sujet.

Il lui rendit la poupée Annabelle et lui résuma le résultat de ses démarches : elle avait été habillée à La Princesse de Babylone, elle venait de chez Gépétaud. La marquise entreprit de la déshabiller. « Voyez les femmes, songea Voltaire, attendri :

dès qu'on leur confie un mannequin vêtu de soie, elles ne peuvent s'empêcher de jouer. »

Armée d'un couteau, Émilie pourfendit le corps de chiffon rembourré, à la stupéfaction horrifiée du donataire. Sa belle amie s'était changée en bouchère anthropophage.

Elle en retira de fines feuilles enroulées sur elles-mêmes.

— Regardez donc ce que cette coquine nous cachait!

La poupée avait reçu du courrier. Elle était fourrée au papier encré. On avait inséré des messages dans son estomac. Ils déplièrent les cartons parsemés de lettres énigmatiques : *Nemi, ATvs...*

— « Némi » ? Qui est-ce donc que ce « Némi » ?

— Je crois qu'il faut lire « N. E. MI », dit Émilie. Et « A. T. vous ».

C'était une sorte de rébus gorgé d'informations sur les mouvements des troupes françaises : combien nos régiments disposaient d'hommes dans chaque arme, où ils se posteraient dans les prochains jours, quel était le moral des soldats et si l'on pensait attaquer bientôt; voilà ce que c'était que d'engager des officiers qui se louaient au plus offrant! Aucun secret n'était à l'abri! Tandis que les philosophes ne se louaient à personne, faute de trouver acquéreur.

Bien que ce message fût à l'intention des Allemands, ceux-ci espionnaient en français, un avantage que l'on devait à l'aura du grand siècle : l'étranger copiait le style Louis-XIV dans ses châteaux, dans ses habits, dans sa cuisine, et les espions avaient la vanité d'espionner dans la langue de Molière.

La collusion prouvée, restait à savoir qui était le coupable, du fabricant de ce jouet, du marchand de poupées, de la modiste ou d'un autre larron pas encore identifié. La couturière était une bonne candidate : elle seule avait pu s'apercevoir qu'on s'abstenait de fouiller les poupées de mode, considérées comme des accessoires futiles et inoffensifs. Voltaire décida d'avoir avec elle une explication : avait-elle pu ignorer la présence d'une cachette dans la bourre des figurines qu'elle habillait ? Il trouvait ces petites demoiselles bouffies et leur propriétaire tout à fait gonflée.

D'autre part, il s'était procuré chez le marchand de jouets une substance douteuse qu'il soupçonnait d'être le poison utilisé par l'assassin de Margoton. Avec ses connaissances en chimie, sans doute Émilie saurait-elle dire ce que c'était et comment cela s'utilisait ?

Ils allèrent dans les communs voir de quel matériel ils disposaient. Sur un meuble trônait une véritable œuvre d'art de la torréfaction. Quand Hérault ne traquait pas Voltaire dans les salons de coiffure, c'était dans les débits de boissons. Il s'était laissé tenter par un bel appareil – Émilie avait pu constater combien cet homme résistait mal aux tentations. C'était une machine du dernier cri, avec de beaux tuyaux en cuivre et des robinets partout.

L'engin différait peu des instruments de distillation qu'elle avait eus en main, il lui fut aisé de le détourner de manière à changer la poudre en pâte, puis en huile, puis en essence. L'odeur, le goût et les effets de la substance suggéraient une toxicité dévastatrice.

— Regardez, cela noircit l'argent!

Elle en avait déposé quelques gouttes sur un beau plat de Mme Hérault, où le produit laissait des traînées noires et fumantes. Bien sûr, la preuve définitive aurait été de l'essayer sur quelqu'un, mais il n'y aurait pas que la preuve de définitif.

Du bruit leur parvint du couloir. La voix de Hérault se reconnaissait de loin, comme le tonnerre, les éruptions volcaniques et les ruptures de digues. Voltaire n'eut que le temps de s'enfermer dans la resserre, entre les mottes de beurre, les cervelas et les pains de sucre, un lieu peu digne de sa grandeur mais davantage que les cachots de la Bastille.

Les Hérault entrèrent conjointement dans la cuisine. Comme la machine était en marche, ils supposèrent qu'on leur avait préparé du café et se remplirent deux tasses. Émilie dut réfléchir à la vitesse d'une comète dans la lunette de Halley, performance dont elle était capable.

— M. de Contades ! s'écria-t-elle.

Les tasses des Hérault mari et femme s'immobilisèrent. Ce nom suscitait en eux des sentiments contraires mais d'égale violence.

— Quoi, « M. de Contades » ? aboya le lieutenant général.

— Il est mort ! dit Émilie.

La tasse de madame explosa sur le carrelage, monsieur posa tranquillement la sienne. Ils dévisageaient leur invitée, elle catastrophée, lui éclairé d'un rictus de joie.

— À la bataille de Parme ! précisa-t-elle.

Ils exigèrent des détails, madame d'une voix blanche, monsieur avec jubilation.

— Il a voulu inspecter les avant-postes, dit-elle en jetant dans les eaux sales le reste du café. Mais voilà, son palefrenier s'est trompé de monture, on lui a donné un poney. Son sabre s'est empêtré dans les attaches de sa cuissarde, il y avait là une mare parmesane qu'il n'a pas pu sauter. Quand on l'en a retiré, c'était trop tard, il était mort. Enfin, pas tout à fait mort. Mais presque mort. Pour ainsi dire mort.

Les dernières gouttes du liquide empoisonné s'écoulaient dans un seau quand elle acheva son récit. Mme Hérault s'enfuit pour cacher les larmes que lui inspirait sa compassion pour les problèmes des armées françaises. Son mari se chercha une boisson plus propre à célébrer l'accident.

Il serait bien temps, tout à l'heure, de leur déclarer que le marquis n'était que blessé, qu'en fin de compte il se portait comme un charme et qu'il avait reçu de l'avancement. Voltaire en profita pour quitter les mortadelles, le réduit et la maison. C'était heureux : le lieutenant général revenait avec deux verres et une carafe, décidé à remercier sa muse de cette agréable nouvelle. Décidément, la présence de Mme du Châtelet était source d'infinis ravissements.

Cette opinion se tempéra quand ses yeux tombèrent sur la petite chienne de sa femme, qui se tordait de douleur sur le sol, à côté des débris de tasse.

— Eh bien, Chouquette? Tu as avalé quelque chose de mauvais?

— Vous aurez acheté un café périmé, dit Émilie.

Le café était excellent, il le prenait chez Percoli, qui l'importait directement des montagnes péruviennes. L'arôme était inhabituel. Il se redressa, la mine grave.

— Ma chère, je crois qu'on en veut résolument à votre vie!

Cette conclusion la rassura, elle avait craint qu'il ne lui reprochât ses expériences et l'état de Chouquette.

Hérault vit là un nouveau coup du même bonhomme qui avait tué la servante. Il devait chercher un autre lieu où la mettre à l'abri, et aussi à l'abri de l'infâme Arouet, qui rôdait de perruquier en salon de coiffure.

— Voilà ce qui se passe quand on fréquente d'impudents philosophes! la gronda-t-il.

Sur ce point, elle était bien d'accord.

CHAPITRE TREIZIÈME

Les philosophes se cachent pour ne pas mourir.

Jean-Philippe Rameau s'annonça chez Mme du Deffand. La marquise recevait volontiers les musiciens depuis qu'elle n'y voyait plus. Elle lui demanda en quoi elle pouvait lui être utile, et le nom de Voltaire tomba dans la conversation comme un cheveu sur un consommé d'écrevisses aux truffes.

— Le bruit court qu'il se cache à Paris, dit le compositeur. La police le cherche chez les gens de plume.

Mme du Deffand n'avait pas besoin de voir le regard en coin qu'il lui coula pour sentir l'allusion.

— Pas chez moi, en tout cas. La seule personne nouvelle qu'on a vue ici n'est qu'un secrétaire, Modeste Tairvol.

Un silence de Rameau remplaçait de longs discours. En bon compositeur, il savait qu'une pause pouvait produire plus d'effet qu'un lot entier de doubles-croches. Prise d'un doute – c'était une femme d'intuition –, la du Deffand interrogea sa dame de compagnie.

— Ce Tairvol, comment est-il, au juste ?

On lui décrivit un petit bonhomme maigre avec un nez. Elle s'inquiéta.

— Dites-moi qu'il n'a pas une propension à sautiller constamment !

C'était lui mieux qu'en peinture. Voilà qui expliquait ce parfum de préparation à lavement qui avait envahi les corridors.

Elle s'emporta. Tendez la main à un philosophe, il vous mordra le doigt ! Elle regrettait de ne l'avoir pas traîné dans la fange comme Mme de Tencin ne se privait pas de le faire. L'affreux gnome allait l'entraîner dans sa chute ! Elle n'avait pas eu de lettres brûlées devant le Parlement, elle !

Rameau attendit la fin de l'orage pour demander s'il pouvait avoir un entretien avec l'ancien secrétaire futur pensionnaire de la Bastille. Il espéra que la du Deffand en laisserait suffisamment en vie pour versifier son livret de *Samson*.

Tel n'était pas du tout le projet de la marquise. Elle n'avait pas l'intention de chasser un bonhomme dont elle connaissait l'âpreté à tirer vengeance de la plus petite injure. Montesquieu avait eu besoin d'une raison pour chasser Voltaire, Mme du Deffand ne prit même pas cette peine.

— Mais bien sûr, cher ami, répondit-elle avec un sourire d'oiseau de proie sous ses lunettes noires.

Elle envoya sa dame de compagnie annoncer à M. Tairvol que M. Rameau désirait le voir incessamment. Elle ne lâcha le musicien qu'après qu'on l'eut informée que le nouvel employé et son valet Pignouf venaient de s'ensauver avec toutes leurs affaires comme une souris qui a vu le chat.

Ils se rendirent à La Marmite perpétuelle, rue des Grands-Augustins, où les chapons cuisaient par douze dans un récipient qui n'avait pas quitté le feu depuis un siècle, tout pénétré des sucs de cent mille volailles passées par là au fil du temps, qui n'avaient cessé de s'enrichir mutuellement de leurs émanations. Les gourmands ne voulaient pas en déguster ailleurs, certains ne venaient à Paris que pour ça, ils s'en repaissaient sur place ou à domicile moyennant un supplément modique. Voltaire et Linant adjoignirent au chapon des cardons à la moelle, des petits pois en mortier, une soupe aux cerises et des pannequets, crêpes fourrées de fruits, pliées en quatre et saupoudrées de sucre.

L'estomac plein, rassuré sur la solidité des piliers du monde tangible, Voltaire se sentait d'attaque pour affronter de nouvelles vicissitudes. Il laissa leurs effets à la garde de l'abbé et se rendit chez la modiste pour se faire expliquer l'affaire des messages dissimulés dans les poupées publicitaires.

On était à la pause de midi. Il n'y avait personne à La Princesse de Babylone, mais la boutique était ouverte. Voltaire traversa les salons, attiré par les fanfreluches qu'il n'avait pu qu'apercevoir la fois précédente, harcelé qu'il était par cette femme déplaisante.

Mme Lapique mettait la dernière main à la préparation de travestis commandés par des voyageurs en partance pour l'Italie, domino, arlequin, capeline de *tabarro* et masque en *bauta* qu'ils porteraient à Venise, où le carnaval durait six mois. Avec quelques gondoles, on se fût cru sur le Grand Canal.

Voltaire l'observait depuis un moment quand elle lâcha les mannequins pour saisir l'une de ses poupées de démonstration. Elle sortit d'un sac ces feuillets tout minces qu'il connaissait. Elle en fourra le jouet, recousit l'abdomen et l'habilla d'une de ses dernières créations.

— Vous faites preuve d'une duplicité, d'un cynisme et d'une désinvolture dignes des plus audacieux émules de Cratès de Thèbes! déclarat-il.

La couturière cacha prestement l'objet du délit dans les plis de sa robe et braqua sur lui des yeux furibonds.

— Qu'esse qu'y fait chez moi, le bouquet sans queue?

M. Dubouquet lui réclama des explications sur ses correspondances poupéennes avec les principicules germaniques. Elle lui répliqua de se mêler de son postérieur, sur ce ton revêche qu'elle réservait aux personnes qui ne venaient pas acquérir des taffetas hors de prix.

Il désigna l'alter ego de la petite Annabelle.

— Un envoi pour l'Allemagne, peut-être?

Un examen médical dirait si l'estomac de la poupée digérait bien le courrier codé.

La patronne de La Princesse de Babylone ne faisait pas que manier l'aiguille et le crayon, elle brandit un pistolet jailli de nulle part, peut-être d'une poche secrète pratiquée dans ses fronces.

— Vous ne serez pas le premier manche à gigot que je supprime!

Elle joignait la grâce de l'expression à la délicatesse des sentiments. Voltaire chercha des yeux un moyen de rétorsion et avisa, parmi les poupées, un mannequin différent des autres, similaire à ceux de la maisonnette. Décidément, cet atelier était l'annexe de la boutique de jouets. Il lança l'objet à la modiste pour lui faire lâcher son arme.

— Attention! Poupée vole!

La charmante personne la rattrapa par réflexe. Hélas, ce fut de la main gauche, sans conséquence pour l'arme qu'elle tenait dans la droite. Elle poussa néanmoins un cri strident, regarda sa main blessée où perlait un peu de sang, parut tourner de l'œil, flancha, tomba et s'évanouit.

Surpris de l'excellent résultat de sa manœuvre, Voltaire se baissa pour vérifier la respiration. La poitrine ne se soulevait plus, les yeux étaient révulsés, rien ne sortait plus de cette bouche d'où émanaient jadis tant de gracieusetés aimablement tournées.

Il examina la petite David qui venait d'abattre ce Goliath. Un dard pointait hors du jouet, à hauteur du nombril. C'était l'abeille la plus féroce qu'il eût jamais vue. Voilà donc de quelle façon était morte la servante de Mme Duch! Il avait sous les yeux la poupée «Lucrèce Borgia».

La porte de la boutique s'ouvrit, des voix de femmes retentirent dans la pièce contiguë. Aucune sortie de son côté. Voltaire n'eut que le temps d'enfiler un masque vénitien et de se coincer entre les mannequins, où il tâcha de se rendre aussi invisible que la tolérance dans une proclamation des jésuites.

Les demoiselles trouvèrent leur patronne inanimée sur le parquet, poussèrent des cris, sautèrent sur place, tournèrent en rond, s'abandonnèrent à maints autres mouvements répétitifs, vaguèrent de-ci, de-là dans le magasin, et pour finir elles s'enfuirent toutes sans que Voltaire pût deviner si c'était dans le souci d'ameuter le quartier, de quérir la force ou de se commander un ratafia roboratif dans un troquet. Dans tous les cas, il savait qu'il ne devait pas s'attarder si près d'un cadavre – l'exemple des désagréments subis par Émilie était une grande leçon à cet égard.

L'hypothèse au sujet de la force publique devait être la bonne, car plusieurs messieurs du guet investirent le commerce avant que la philosophie n'ait pu s'en évacuer. Caché sous le masque vénitien, Voltaire gardait les bras bien raides, à la façon des mannequins qui l'environnaient, les mains dans une paire de gants en cuir d'une très jolie façon trouvés sur le comptoir. La position était pénible. Il en changeait lorsque les gardes avaient le dos tourné. L'un d'eux, considérant le curieux spectacle de ces pantins grandeur nature vêtus pour le carnaval, remarqua qu'on ne taillait pas tous les costumes pour des personnes gracieuses et bien bâties : il y en avait un de riquiqui, manifestement du sur-mesure.

Le mannequin de foin en chair et en cervelle fit son profit des conversations tenues autour de la victime. Un mouchard avait repéré le philosophe à la sortie de chez la du Deffand, il l'avait suivi jusqu'ici. En fin de compte, cet assassinat l'avait sauvé : il créait une diversion. L'ennui, c'était qu'on le soupçonnait du crime ; aucune réputation n'était à l'abri d'un peu de salissure, c'était la fatalité du métier d'écrivain.

Hérault surgit à son tour dans ce décor de meurtre carnavalesque. Son irruption parut affliger jusqu'aux angelots fessus peints sur les plafonds.

— Monseigneur ! dit le capitaine du guet. Il y a un cadavre !

— Vraiment ? dit Hérault avec intérêt.

— Ce n'est pas Voltaire !

— Vraiment ? dit Hérault avec déception.

Il était fort marri : il avait cru arrêter Voltaire et tombait sur une dépouille qui n'était même pas la sienne. Ses hommes et lui restèrent un long moment à contempler le corps piqué au doigt comme la Belle au bois dormant – un conte dont ils avaient déjà feuilleté un chapitre chez la belle

Émilie. La longueur dudit moment fut fort utile au masque de comédie debout derrière eux, il en profita pour dégourdir ses jambes et ses bras tétanisés.

— Cela n'a pas de sens, dit le capitaine du guet, penché sur la malheureuse, qui gisait comme une rose de satin coupée de sa tige.

— Et nous connaissons quelqu'un qui a toujours les deux pieds dans les affaires qui n'ont pas de sens, dit Hérault.

— Croyez-vous que ce Voltaire soit devenu nocif au point de tuer les gens de ses propres mains ?

Hérault en doutait. C'était un lâche qui préférait user de sa plume pour mal faire, et la victime devait avoir été de taille à se défendre contre un freluquet d'écrivaillon.

Ce deuxième cadavre compliquait beaucoup l'enquête. Le meurtre d'une servante n'agiterait personne. Celui d'une commerçante honorable, qui fournissait la noblesse, était bien plus grave, le lieutenant général aurait sur le dos la guilde des tailleurs, peut-être même le prévôt des marchands. Si l'assassin poursuivait sur cette lancée, qui sait de quel rang serait sa prochaine proie ? Un parfumeur ? Un notaire ? Une marquise ? Cette dernière pensée l'effraya. Il imagina la plus belle jarretière du monde maculée de sang, cette vision lui fut insupportable. Maltraité par la cour, par le ministère, par ses concurrents jaloux, par les Parisiens, par sa femme, que lui resterait-il si l'on attentait aux jours de la plus adorable femme de science qu'il eût jamais incarcérée?

Il en était là de ses réflexions quand il vit bouger le coquet pourpoint vénitien qui lui faisait face entre deux garnitures à pompons. Certains détails de la chasse au canard voltairien s'expliquèrent subitement. La résolution du policier fut aussitôt prise. Il avait le choix entre un philosophe en prison ou un enquêteur en liberté. Or, la présence de l'écrivain prouvait qu'il avait une longueur d'avance sur le Châtelet. Soit il leur apporterait la solution sur un plateau, soit l'empoisonneur les débarrasserait du fanfaron. Dans les deux cas, l'ordre public et la lieutenance en sortiraient gagnants.

Hérault envoya la moitié de ses hommes à la recherche d'un brancard et emmena les autres fouiller les rues avoisinantes.

— Et pour surveiller le corps, monseigneur?

— Il ne s'en ira pas tout seul, je pense!

Quand ils furent au bout de la rue, un masque vénitien quitta subrepticement la boutique en marchant sur des œufs. René Hérault se sentait fort las. Il se voyait contraint de couvrir les crimes de la philosophie. Horrible journée.

CHAPITRE QUATORZIÈME

Comment Maître Renard manqua d'être débusqué chez la belette.

Voltaire avait un vieil ami, M. d'Argental, du même âge que lui, qu'il appelait « mon ange » et qui ne lui avait jamais fait défaut. C'était aussi que l'écrivain se l'était réservé pour plus tard, persuadé que cet être charmant lui rendrait un jour de grands services. En l'absence d'autre choix, il abattit cette carte, l'ultime atout de son jeu, et courut se réfugier chez lui.

Avec ses murs tendus de bleu ciel, ses meubles en bois rouge, son paravent, son clavecin en style rocaille, ses portraits en médaillon dans des cadres dorés, sa pendule sur la cheminée, ce salon était l'incarnation de la sagesse et de la tranquillité si nécessaires aux fugitifs.

Le comte n'osa pas refuser, il ignorait le moyen de dire non à un tel homme, mais il devait en informer la comtesse.

— Nous devons surtout me cacher de M. Hérault, dit Voltaire.

— Si nous pouvions aussi vous cacher de ma femme, ça m'arrangerait, répondit son hôte.

René Hérault lui semblait une faible menace en comparaison. Il perçut des pas et vint à la rencontre de Mme d'Argental dans l'antichambre.

— Ma chère amie, nous avons un invité! dit-il avec enthousiasme.

— Quel bonheur, dit la comtesse. Qui est-ce?

— Monsieur (inaudible) taire.

— Je vous demande pardon?

— Vol (raclement de gorge) taire.

— N'est-il pas en fuite? s'étonna la comtesse, dont les publications judiciaires étaient apparemment la lecture favorite. Après avoir eu son livre brûlé devant le Parlement? Voué à la Bastille si on l'attrape?

Un aimable lutin surgit de la pièce attenante, s'empara de sa main pour la baiser comme une relique de la Madone, d'une façon qui ne permettait pas de croire qu'elle se débarrasserait de lui facilement.

Charles-Augustin d'Argental était le neveu de Mme de Tencin, mais on pouvait être le neveu

d'une peste et néanmoins d'assez bonne com-
position pour faire une bonne action. C'était la
première fois depuis longtemps que le réprouvé
n'avait pas besoin de mentir sur son identité. Il se
réjouissait de prendre ses quartiers chez Jeanne-
Grâce et Charles-Augustin.

— Vous aurez bien un peu de place pour
François-Marie! plaisanta-t-il.

Il pria Linant d'aller déposer les bagages dans
leurs chambres, et l'abbé se dirigea vers les cuisines.

Ils allaient pouvoir en profiter pour causer littérature. Il en avait justement apporté de Lorraine
un bon morceau. Pour se désennuyer dans son
verger, il avait versifié une tragédie, *Alzire*, «une
pièce très chrétienne qui me réconciliera avec les
dévots».

— N'en doutons pas, dit la comtesse. Après
vos *Lettres philosophiques* incendiées sur un arrêt
judiciaire, ils auront certainement envie de vous
écouter au théâtre.

— Cela se passe chez les Incas.

— Quelle bonne idée.

— Une belle Indienne est prisonnière d'un horrible Espagnol qui veut l'épouser par force, mais
à la fin l'amoureux de la demoiselle la sauve du
cochon.

Ce qui changeait de ses huit tragédies précédentes, c'était le cadre.

— J'ai voulu dénoncer la colonisation espagnole des Amériques, mais dans ma version tout finit bien.

— Vous avez raison, dit le comte, il faut redonner espoir à l'humanité.

— Mais dites-moi, dit la comtesse. N'était-ce pas déjà le sujet de…

— *Adélaïde du Guesclin?*

— J'allais dire *Zaïre*.

— Quand on a trouvé une bonne histoire, il ne faut pas en changer, affirma l'auteur.

Il en était à la neuvième version, quand même.

— C'est le style qui importe.

On acquiesça. C'était bien le problème de son théâtre.

Ils entendirent frapper à l'huis comme pour les trois coups, avec une énergie qui n'était pas de bon augure.

— Monsieur! dit un valet. C'est la police!

Tous les regards se tournèrent vers le philosophe.

— Déjà? fit ce dernier. Ne me dites pas que vous êtes en délicatesse avec la force publique, mon cher ami?

Les d'Argental étaient convaincus d'avoir sous les yeux la délicatesse en question. Ils auraient bien fichu leur hôte par la fenêtre si celui-ci n'avait risqué de choir sur la tête d'un visiteur qu'il devait justement éviter à tout prix. Le comte s'enquit de l'identité de l'esprit frappeur. S'agissait-il d'un inspecteur? D'un exempt du Châtelet? D'un commissaire?

— M. d'Argouges, le lieutenant civil! dit le valet qui avait vu le diable.

Le concurrent de René Hérault! Décidément, prononcer le nom de Voltaire équivalait à invoquer Lucifer. L'écrivain fila en toute hâte vers les communs pendant que ses hôtes se préparaient à recevoir le garant de la loi et de l'équité.

M. d'Argouges, cinquante-deux ans, en place depuis quatorze années, pénétra dans le salon, la narine aussi frémissante que celle d'un chien courant qui a levé une poule d'eau. Il portait un habit rouge, comme Belzébuth, sur un gilet or, comme la fortune gagnée par Belzébuth, sur la tête un tricorne noir qui durcissait sa physionomie, et des bésicles sur le nez pour mieux voir ceux qu'il allait tourmenter. Il savait que le comte avait envoyé des livres à Cirey : son correspondant n'avait-il pas trouvé asile chez lui? Quelle belle prise cela serait pour faire la nique à René Hérault!

— Voltaire? Chez moi? dit d'Argental. Pas du tout! Je me contente de lui adresser des paquets d'imprimés! Par charité humaine!

— J'y ajoute quelquefois des pâtés, ajouta la comtesse, qui n'avait pas la tête d'une charcutière.

— J'espère que madame s'est bien remise de sa fluxion du mois dernier, dit d'Argouges en faisant mine de contempler une petite vue du port de Gand par van Bloemen. Votre commande de vin de Champagne est-elle arrivée, en fin de compte? ajouta-t-il sur un ton anodin.

On eut un doute sur la confidentialité des correspondances privées, on se demanda si les dépôts confiés aux établissements postaux étaient aussi inviolables que promis.

Depuis quatorze ans qu'il lisait le courrier, d'Argouges savait tout sur tout le monde. Il comptait bien profiter de cet avantage pour saisir Voltaire et ridiculiser son concurrent. Accomplir le travail de Hérault serait un excellent moyen de lui prendre sa place.

M. d'Argental crut bon de citer son frère, lecteur du roi, un poste qui le mettait à portée d'oreille de Sa Majesté. Le lieutenant civil n'en fut pas impressionné.

— Votre frère est alité, vous recevrez de ses nouvelles demain.

Il fit volte-face pour lancer à un valet qui entrait :

— Cessez donc de voler votre maître au marché, vous!

— Vous me volez, Mathurin ? demanda le comte d'Argental, ébahi.

Le valet jura ses grands dieux qu'il n'avait jamais trahi ses bons maîtres, il leur vouait un respect incommensurable et se ferait tuer pour eux.

— Ce n'est pas ce que prétend Rosine, dit d'Argouges.

Rosine avait été congédiée deux mois plus tôt. Les domestiques entre deux places venaient toucher leur prime de départ au Châtelet, par l'énumération des petits mystères de la maisonnée.

Ces révélations donnèrent la nausée à Mme d'Argental, elle prit prétexte de ses comptes à vérifier pour emmener le valet discuter en cuisine. Dès qu'elle fut sortie, la figure de son mari se décomposa.

— Vous savez donc que…

D'Argouges fit un geste plein de commisération. Le comte n'avait pas sujet de s'alarmer. Si l'on devait inquiéter tous ceux dont les menus secrets étaient éventés, la France deviendrait une vaste prison. Tandis qu'à présent elle n'était qu'un vaste camp surveillé.

Son interlocuteur respira.

C'était Voltaire qui intéressait cette oreille sur pattes.

— Mais que vous a-t-il fait, enfin, ce cher homme?

Rien encore, mais on en attendait beaucoup. Voltaire était un magicien, il possédait le pouvoir merveilleux d'améliorer la carrière des lieutenants civils qui ambitionnaient d'être nommés lieutenant général.

Tandis que son mari distrayait le policier dont les dents rayaient leur parquet, la comtesse faisait déloger le philosophe et son abbé par la fenêtre des communs. Leur invité avait la bonté de bien vouloir fuir dans des conditions indignes afin de ne pas les compromettre.

— Je me sacrifie pour vous! souligna-t-il.

— Oui, oui, cher ami, hâtez-vous, c'est par là.

— Nous sommes bien d'accord que vous m'en devrez une reconnaissance éternelle! dit-il en s'accrochant à la barre d'appui.

Elle le poussa dehors. Avec un peu de chance, une mauvaise chute réduirait le côté éternel de l'obligation.

Les deux hommes ramassèrent une fois de plus leurs sacs sur le pavé. Voltaire n'était pas heureux du tour qu'avait pris sa visite amicale.

— Tolérance! Tolérance! clamait-il dans la rue tout en fuyant, son paquet à l'épaule.

Les passants se retournaient sur lui.

— Mais que dit cet homme ?

— Je crois qu'il veut aller au bordel.

— Deuxième rue à droite, monsieur.

Ce n'était pas le genre de réactions qu'espérait le penseur.

— Je crois que les gens ne sont pas prêts pour mes idées.

Linant soufflait fort pour tenir le rythme de la philosophie en marche.

— Au contraire, ils ont prévu une réception d'accueil. Deuxième rue à droite.

CHAPITRE QUINZIÈME

Où l'on s'aperçoit que la maison du crime est à Lilliput.

L'incident du café empoisonné, la déplorable ambiance qui régnait chez les Hérault depuis qu'Émilie avait faussement annoncé la mort du marquis de Contades, avaient convaincu le lieutenant général que son invitée serait aussi bien chez elle. La mort de la chienne Chouquette avait achevé de consterner Mme Hérault, aucun des deux n'avait envie de finir comme l'animal. On avait posté un garde dans le vestibule des du Châtelet pour empêcher tout attentat contre une femme de science chère au cœur de la police : ce n'était pas tous les jours qu'une marquise lui montrait sa jarretière.

Dès son retour, Émilie avait recommandé aux domestiques de ne plus mourir chez elle, cela ne lui attirait que des tracas. Elle s'était tirée d'affaire en exhibant sa cheville droite, il lui restait encore la gauche à montrer, après cela ses rapports avec les forces de l'ordre deviendraient tout à fait pénibles. Elle leur interdit de commettre la moindre imprudence, de monter sur un tabouret pour laver les vitres ou de découper le rôti avec un couteau très affûté, et la gouvernante eut l'ordre de congédier le premier qui tousserait.

Ces contrariétés ne favorisaient pas l'étude. Les travaux mathématiques ne la distrayaient plus, sa concentration était compromise, il y avait du flottement dans les nombres réels.

Émilie reporta son attention sur l'objet de ses déboires, cette curieuse maisonnette arrivée chez elle par accident. Elle prit la clé dissimulée à l'intérieur d'une cheminée qui pivotait et ouvrit la façade. À l'intérieur, les petits habitants menaient leur vie quotidienne. Certains prenaient le thé dans un charmant boudoir tapissé de velours « ciel d'été ». Ils étaient petits, de forme grossière, avec une tête ronde où rien ne dépassait. On leur avait peint des yeux, un nez, des lèvres. Le décolleté des demoiselles n'avait rien à montrer, leur buste renflé comme une poire ne créait pas l'illusion d'une poitrine. Celles à qui on avait voulu donner de l'expression arboraient un sourire de folle ou de fou, avec du rouge aux pommettes comme des acteurs de foire.

Dans la salle de bal, une danseuse paraissait sur le point de faire la révérence. À côté d'elle, son petit partenaire avait perdu sa tête, qui gisait sur le parquet au point de Hongrie. Elle devait avoir été mal collée, ce n'était pas la première fois que l'accident se produisait.

— C'est curieux, dit la gouvernante, je ne cesse de la donner à recoller, les enfants s'obstinent à décapiter ces poupées les unes après les autres.

Émilie ne voyait pas comment ses enfants auraient pu abîmer ce jouet puisque la maisonnette était fermée à clé. Le danseur qui faisait paire avec la danseuse était très bien vêtu, coiffé comme à la cour, un beau jouet qu'il était dommage d'abîmer.

Tout à coup, cet endroit lui parut familier. Non parce qu'elle l'avait sous les yeux depuis une semaine ; il y avait dans ce décor quelque chose qu'elle connaissait, mais elle ne parvenait pas à déterminer ce que c'était.

On avait bâti des réduits dans les angles du cabinet de toilette, de part et d'autre de la baignoire. Dans les chambres, le dessus de lit était tissé dans le même motif que le papier qui décorait les murs. Le fabricant s'était compliqué la tâche avec des détails qui n'apportaient rien, qui auraient pu être supprimés sans préjudice pour la beauté de l'ensemble. Pour quelle raison s'était-il acharné, obsédé de la sorte... sinon parce que ces objets avaient un modèle dans la réalité? Elle eut le sentiment que ce lieu existait quelque part.

Et, tout à coup, elle sut.

Si elle ne connaissait pas la maison, du moins connaissait-elle la famille qui l'occupait.

On avait pris la peine d'armorier le décor. L'emblème nobiliaire courait sur les étoffes, les porcelaines, l'argenterie, les tableaux, les stucs. Elle se rappelait ces armes. C'étaient celles des Parolignac. Avait-elle dans son boudoir une réduction de l'hôtel de Parolignac? Comment cela se pouvait-il? Pourquoi avoir copié avec exactitude cette demeure banale? Quel rapport avec le meurtre de sa servante?

Elle nota ses conclusions pour les communiquer dès que possible au duo d'inspecteurs scientifiques qu'étaient Voltaire et Maupertuis. Deux génies sans pareils! Ensemble, de quoi ne seraient-ils capables?

Le choix des hôtes susceptibles d'abriter la philosophie persécutée se réduisait terriblement. Une fois épuisée la liste des écrivains malvoyants, il fallut se rabattre sur les mathématiciens qui avaient bonne vue. Perdu pour perdu, Voltaire s'en fut accabler Maupertuis, qui le méritait bien.

— Un membre de l'Académie des sciences ! se réjouit Linant. La couverture idéale !

Voltaire lui jeta un regard de pitié.

— Mon pauvre abbé, sans moi vous vous jetteriez en toute innocence dans la gueule du premier escroc venu.

Tandis qu'avec lui on s'y jetait en connaissance de cause.

Le maître des lieux les fit entrer parce qu'il n'avait pas prévu d'excuse et que le plus petit des deux se faufilait déjà vers son salon.

L'appartement de Maupertuis n'avait pas du tout l'élégance pratique des intérieurs philosophiques dont les fauteuils aux coussins bien rembourrés, une fois ouverts, révélaient d'agréables pots de chambre. C'étaient partout des chaises bien raides, des coffres, des armoires encombrantes, quand on aurait voulu de jolies commodes arquées sous des Titien pendus aux murs par des nœuds de taffetas. Décidément, ces savants prétendaient expliquer la position des planètes sans même savoir disposer correctement un buffet et une console.

Maupertuis n'était pas marié. Cela se voyait. Son logement tenait de la garçonnière crapuleuse et du cabinet de mathématiques pour savant fou. Partout des liasses de papiers parcourus de formules hermétiques, des compas, des règles, des tables de conversion, des livres dans toutes les langues et des sous-vêtements des deux sexes.

L'académicien avait une théorie sur l'échappement des cylindres en géométrie appliquée qu'il tenta d'étendre à l'échappement des philosophes. Il incita celui-ci à rejoindre ses semblables : l'endroit le plus adéquat où cacher un mouton n'était-il pas au milieu du troupeau ?

— Peut-être pourriez-vous chercher asile chez vos éminents collègues ?

Voltaire n'était pas chaud : justement, il en venait.

— Oh, mon cher, vous ne les connaissez pas : il n'y a que moi de bien !

C'était à désespérer de la gent écrivante.

Maupertuis était au moins d'accord pour l'aider à découvrir au plus vite l'assassin de la servante : il importait d'aider la marquise, et plus encore d'éloigner d'elle ce Hérault si entreprenant.

Ces mots stupéfièrent le visiteur.

— Vous êtes jaloux ? De lui ? Et moi ?

— Oh, vous! dit le physicien avec un hausse-
ment d'épaules qui n'était pas flatteur pour la philosophie.

L'écrivain était révolté. Ce plat géomètre était
décidément un mauvais plaisant. C'était unique-
ment parce qu'on avait besoin de lui qu'on allait
s'installer chez lui.

Quand il eut accepté l'hospitalité qu'on ne
lui offrait pas, Voltaire réclama un tiroir pour
y ranger ses petites affaires, dont un piston à
lavement. Maupertuis n'avait nulle intention de
devenir la proie de la justice pour avoir sauvé des
eaux le petit Moïse de sa pharaonne. En plus des
mathématiques, il s'était intéressé aux scorpions
et aux lézards, il se sentait paré pour recevoir
Voltaire. Il avait remarqué que les bêtes bis-
cornues gagnaient à se rendre méconnaissables
pour survivre en milieu hostile. L'exemple était
bon, il chercha comment changer ce mollusque
en oursin.

— Vous devriez vous laisser pousser la barbe,
suggéra-t-il.

— Quelle barbe? répondit le penseur à peau de
bébé.

— Les poils que vous avez sur la figure, dit le
mathématicien en tâchant d'apercevoir une ombre
de pilosité. Voyons, vous vous rasez, le matin?

— J'ai une pince à épiler. Ça m'occupe quand je lis des stupidités dans les livres des autres.

Ses joues, son menton étaient aussi lisses qu'un œuf. Restait la solution d'un postiche. Voltaire s'insurgea.

— J'aurais l'air d'un militaire! Moi, un philosophe!

Maupertuis le rassura : même en uniforme, fusil à l'épaule, il n'aurait jamais l'air d'un militaire.

Ils explorèrent les coffres et les armoires. Voltaire s'étonna d'y découvrir des vêtements d'homme, mais aussi de dame. Et plus encore d'y reconnaître des effets de sa marquise.

— Elle a des habits chez vous?

Maupertuis expliqua qu'il mettait au point une méthode pour nettoyer la soie et le satin. Mme du Châtelet lui avait fait porter quelques étoffes pour ses expériences.

— Vous faites teinturerie? s'étonna Voltaire en brandissant une culotte de femme.

Ni les hardes de Maupertuis ni même celles d'Émilie, qui était d'une belle stature de déesse, ne correspondaient à la constitution éthérée des penseurs.

— Vous vous habillez tous deux dans des couleurs sinistres, le bleu «tempête sur le Bosphore» ne me va pas au teint, il faudrait du crème ou à la rigueur du vieux rose.

Maupertuis l'emmena cueillir ses vieilles roses chez le fripier.

CHAPITRE SEIZIÈME

Où il se vérifie que l'homme est une femme comme les autres.

La boutique du fripier était submergée de vêtements bariolés pendus aux portemanteaux. À chaque manche, une étiquette avec le prix. Sur le sol, des bobines de fil et des aiguilles. Des paravents pour les essayages. Des étagères couvertes de chapeaux, des casiers remplis d'ombrelles, des manchons de différentes fourrures, des sacs à fermoir en laiton, des cannes à pommeau d'ivoire, des souliers à boucle en faux diamants. Tel un gamin dans un magasin de jouets, Voltaire se jeta sur les articles dont les teintes lui plaisaient le plus.

— C'est notre rayon «dames», fit observer le commerçant.

Son client empilait un monceau d'affiquets[1] avec une insatiable boulimie. Maupertuis expliqua qu'ils devaient envoyer des frusques à une parente de province qui désirait se mettre à la mode.

— Pas à la mode d'il y a dix ans! précisa Voltaire en écartant un lot de rubans «feuille d'automne». Nous rougirions de porter des galons défraîchis.

— Comment cette dame est-elle faite? demanda le marchand.

— Comme moi!

Lorsqu'il se posta devant le miroir pour voir si les falbalas lui seyaient, l'excuse de la parente de province s'effrita. Maupertuis déclara qu'ils en profiteraient pour préparer le carnaval, qui n'était que dans huit mois.

— Ne vous mettez pas en peine, dit le commerçant, nous voyons de tout.

L'académicien se félicita de l'anonymat de cette séance.

— La note à votre nom, monsieur de Maupertuis? demanda le fripier.

Le savant était venu rhabiller certaines de ses conquêtes, du temps où ses goûts en matière de femmes étaient plus classiques.

---

1. Fanfreluches.

— C'est monsieur qui paye, indiqua Voltaire en s'insérant jusqu'au nombril dans un beau caraco couleur « razzia des Turcs sur un village grec ».

Le marchand était tout à fait à l'aise, contrairement au savant.

— Je recommanderai à l'ami de monsieur de prendre le mouchoir de col[1] assorti, cela ne pourra que plaire à monsieur.

— Il m'importe peu! protesta monsieur, qui voyait sa réputation de don juan prendre un tour déconcertant.

On dévouait sa vie aux sciences exactes, on affichait une morale presque sans tache, on entrait à l'Académie, et puis voilà, subitement, l'accident : on rencontrait Voltaire.

Ce dernier découvrait avec ravissement que les fanfreluches pour dames pouvaient être aussi seyantes que celles dont il avait l'habitude. Le corset vous faisait une taille de guêpe que vous n'aviez plus depuis l'époque de vos études chez les jésuites.

— Vous les avez en rose persan? demanda-t-il en tendant au fripier une poignée de pompons en velours, sous l'œil navré du physicien.

Les robes ne tombaient pas correctement.

—————

1. Fichu.

— Il va falloir doubler les boudins, dit le couturier, vous manquez de hanches.

L'écrivain se contemplait l'arrière-train dans un miroir.

— Comment ! J'ai les plus belles fesses de la littérature française !

Maupertuis sortit respirer dehors, le commerçant put s'adresser à son client en confidence :

— Je félicite monsieur, l'ami de monsieur prend soin de vêtir monsieur avec ce qu'il y a de mieux, sans regarder à la dépense.

— Pensez-vous ! dit Voltaire. Il ne sait pas ce qui est beau ! Attendez qu'il ait vu la note !

Il fallait aussi des nuisettes à froufrous pour lire sa philosophie au lit sans risquer le mal de poitrine.

— Vous ne comptez pas recevoir dans votre chambre, je pense ? s'impatienta Maupertuis depuis la porte.

Voltaire n'entendait pas se laisser chicaner sur les frivolités. Il découvrait la triste nature des hommes : à peine avait-il passé une robe qu'il était en butte à l'égoïsme masculin !

— Si cher que ça ? s'inquiéta le savant en consultant la liste qui s'allongeait. C'est le meilleur prix ?

— C'est le prix du meilleur, répondit le marchand avec un regard complice pour la danseuse qui essayait à présent des souliers à talon en cuir de Cordoue.

Voltaire ajouta en douce de jolies mules brodées de fleurs des prés, afin de n'avoir pas l'air d'une pauvresse quand il recevrait pour le thé.

À la tête d'un cortège de commis surchargés de paquets, ils firent une halte au Signe des parfums, boutique de cosmétiques rue Saint-Antoine, le patron des causes perdues.

Des moulures de bois peint encadraient une multitude d'étagères, dans la lueur d'un lustre à pendeloques de cristal qui avait dû éclairer le salon de quelque duchesse. Le centre de la pièce était occupé par une fontaine, l'eau odorante jaillissait du bec d'un cygne en argent pour s'écouler dans une vasque où flottaient des pétales de roses. Pots et sachets emplissaient les rayonnages, on les donnait à sentir et à toucher à la clientèle installée sur des tabourets.

Voltaire fit l'emplette d'un énorme pot de pâte liquide, de pommade de concombre, de colifichets pour sa coiffure, sans oublier vingt livres de poudre fine, dix de talc odorant pour sentir bon, une bouteille d'essence de fenouil, du suif de bœuf pour les cheveux, de l'extrait de fleur d'oranger et quelques menues babioles indispensables.

— C'est curieux, dit M. Provost, le proprié-taire, c'est tout à fait la commande d'un de mes clients réguliers.

— C'est preuve qu'il a bon goût, répondit la muse de la philosophie.

Ils avaient rendez-vous avec Linant. Mauper-tuis s'inquiéta de la réaction d'un religieux qui avait tout de même reçu les ordres mineurs.

— Nous pourrions ne rien lui dire, affirma Vol-taire, je suis sûr qu'il ne découvrirait pas la super-cherie.

Ils la lui dirent quand même, après que l'abbé, mis en présence de la dame aux gardénias, eut demandé trois fois si M. de Voltaire les rejoindrait bientôt.

— Moi, avec un homme déguisé en femme? s'offusqua l'ancien séminariste. Jamais! Jamais!

— Allons dîner, dit Voltaire.

— Qu'y a-t-il au menu? demanda Linant en trottant derrière eux comme si la conversation n'avait jamais eu lieu.

Son appétit fonctionnait comme une éponge, son cerveau était une ardoise. Pour lui faire ava-ler la pilule, ils commandèrent un bon repas que le traiteur livra. Maupertuis choisit d'inspiration une oie à la daube en gelée, couronnée de lauriers, une gousse d'ail dans le fondement, bien lardée de partout, bien salée, poivrée, ficelée, qui avait cuit quatre heures à l'étouffée, servie froide comme la vengeance. Voltaire préféra du pigeon.

Le repas fini, il pria Linant d'agrafer son col blanc et sa calotte d'ecclésiastique : c'était le moment d'avoir l'air respectable. Le secrétaire se changea en grommelant, c'était plutôt le moment de tomber la veste et d'élargir sa ceinture.

— Mettez le col, ôtez le col, je vais finir par l'envoyer par-dessus les moulins, le col!

Il se languissait du jour où il pourrait s'engager dans une carrière littéraire et vivre à ne rien faire.

Posté devant le miroir, l'écrivain estima qu'il manquait à son visage une pointe de rouge pour accentuer sa féminité.

— Une grosse pointe, dit Maupertuis.

La maquilleuse platonicienne ouvrit son nécessaire de survie à l'usage des publicistes. Maupertuis s'étonna de lui voir transporter des onguents cosmétiques. C'était pour avoir bonne mine au cas où on l'inviterait à la cour.

— On ne vous invite jamais à la cour.

— Maupertuis, ne soyez pas désagréable avec les dames, dit Voltaire.

Lady Voltaire tenait beaucoup du tamanoir fripé. Le résultat ne portait pas à une adulation éperdue. Maupertuis crut revoir sa grand-mère, en moins virile.

— Tenez-vous derrière votre éventail le plus souvent que vous pourrez, recommanda-t-il.

Milady se vexa.

— Vous, vous n'aimez pas les femmes!

— À vous voir, on croirait plutôt que c'est vous.

— Polisson! Foutaquin!

La fausse poitrine du philosophe se soulevait dans un mouvement spasmodique affligeant.

— Maroufle! Et ça prétend courtiser ma belle Émilie! La voilà bien embarquée avec un drôle de votre espèce!

— Vous avez beau mettre des jupes, vous êtes toujours aussi horripilant.

— Seul un bon artiste est capable de se renouveler tout en restant lui-même, affirma Voltaire.

Des coups sur la porte mirent fin aux pleurni-cheries. Maupertuis avait donné quartier libre à son valet pour n'être pas embarrassé au milieu de ses embarras voltairiens. L'écrivain décréta qu'il ouvrirait : il fallait bien qu'il s'habitue à son rôle de maîtresse de maison. Avant qu'on n'ait pu le retenir, il était déjà dans le vestibule.

— On croira que vous vous êtes marié! l'entendirent-ils plaisanter.

Il se trouva nez à nez avec le compositeur à qui il devait un *Samson* plein de pieds et de rimes. Cet homme était un furet. Dans une ville de cinq cent mille habitants, il vous débusquait un philosophe plus facilement qu'un lapin dans une futaie. Son flair l'avait conduit tout droit de chez la du Deffand au logis du monsieur qui enseignait les mathématiques à leur amie commune.

Il apparut que Rameau était assez intelligent pour deviner où il se cachait, mais pas assez physionomiste pour le découvrir sous un tel costume.

— Bonsoir madame. Auriez-vous l'obligeance de m'annoncer à mon librettiste? J'ai entendu sa voix à travers la porte.

— Il vient de partir, répondit l'hôtesse d'une voix de fausset.

On ne put empêcher la brigade musicale de faire le tour de l'appartement pour s'en assurer. Ce coquin d'écrivain avait eu le toupet de se faire exiler de Paris avant de finir son livret, il avait maintenant l'audace d'y revenir sans remplir ses obligations envers la musique contemporaine.

— Oh, le vilain garnement! dit Voltaire en frôlant le contre-ut. Cherchez bien partout!

Ce timbre forcé interloqua Rameau. Ce n'était pas là une femme à interpréter Dalila. Il fut persuadé qu'elle chantait dans les registres de baryton, son oreille était infaillible.

Il ne trouva chez Maupertuis que Maupertuis, en plus de sa nouvelle passion et d'un gros garçon qui ronflait dans la cuisine. Sur le point de franchir la porte, il se ravisa.

— Si vous désirez chanter un rôle dans un opéra moderne, venez donc passer une audition. J'ai des emplois de sorcières difficiles à caser.

— Avec plaisir, répondit la cantatrice chauve. Je pourrais faire une grande prêtresse dans l'œuvre de M. de Voltaire. Je suis sûr que son texte sera une merveille.

«Quand il l'aura écrit!», songea le compositeur en descendant l'escalier.

Il avait encore quelques sommités des arts et des lettres à aller déranger. Il s'étonnait que son flair l'eût trompé, il était rarement pris en défaut. L'échec le déprimait, il se sentit aussi inefficace qu'un policier professionnel.

— Et voilà! dit Voltaire, une fois la porte fermée.

Maupertuis respira. L'alerte avait été chaude. Ça n'allait pas du tout. Il ne suffisait pas de l'avoir vêtu en dame, il fallait lui trouver une demeure de dame.

— J'ai une réputation, moi, grogna-t-il.

— Moi aussi, dit Voltaire. Je ne voudrais pas qu'on me prenne pour une fille de mauvaise vie.

On lui reprochait déjà assez sa vie de philosophe.

CHAPITRE DIX-SEPTIÈME

Où l'on voit trois génies s'adonner à la cambriole.

Venue leur présenter le fruit de ses réflexions, Émilie surprit son cher ami en déshabillé galant avec un col de gaze et des nœuds cramoisis.

— Oh! La sœur de Voltaire!

— Sa petite sœur, minauda Mlle Voltaire.

— Sa petite sœur qu'on a bercée trop près du mur, ajouta Maupertuis, pressé de s'en débarrasser.

Émilie leur fit part de ses conclusions. Avant de trouver une nouvelle résidence à Mlle Voltaire, il importait d'aller visiter les lieux qui avaient servi de modèle à la maison de poupées, cet hôtel de Parolignac dont les armoiries familiales étaient gravées sur tout le mobilier. Elle avait consulté son armorial (c'était la lecture favorite des familles de vieille noblesse, son mari en conservait un précieusement). Les Parolignac s'étaient éteints quelques années plus tôt, la maison était fermée en raison d'une dispute de succession. Elle mourait d'envie d'aller voir l'endroit qui avait inspiré le modèle réduit.

L'écrivain se remit en homme. À la faveur de la nuit, nul ne le reconnaîtrait, hormis la maréchaussée, dans le cas où elle lui mettrait la main au collet pour cambriolage – mais alors il aurait d'autres soucis que d'avoir quitté son refuge lorrain. Ils n'emmenèrent pas Linant, qui méditait sur le sort des oies en daube avec des ronflements réguliers.

Il s'agissait précisément de cette bâtisse dont la boutique de la modiste défunte occupait le rez-de-chaussée. Dans leur affolement, les demoiselles avaient omis de fermer la porte de derrière, ils entrèrent par là.

Ils trouvèrent dans le corridor, à la lueur des lanternes, une communication avec les étages nobles. Le bel escalier d'apparat poussiéreux en marbre sombre finissait en arrondi, encadré par deux rampes en arabesques de fer noir. L'hôtel de Parolignac était depuis longtemps inoccupé. Avec les volets intérieurs sur les fenêtres, même le pâle éclairage de la lune n'y filtrait pas. Au sol, les carreaux blancs octogonaux à bouchons de pierre anthracite se fondaient dans le gris des plâtras tombés du plafond.

Émilie reconnut la salle à manger. Cette merveille existait donc : une pièce au plancher blanc, aux murs tendus d'un tissu parsemé d'arabesques de fleurs bleues, auxquelles répondaient les potiches de Nankin disposées sur des consoles, dans la lumière d'un lustre de Murano immaculé. C'était une bonbonnière.

Ils eurent l'impression d'avoir pénétré à l'intérieur de la maisonnette, d'être devenus ces poupées qui prenaient le thé dans un monde rétréci. Ils pouvaient s'asseoir sur les mêmes chaises cannées, devant le secrétaire chinois laqué de noir et d'or. Les mêmes gravures couvraient les murs de l'antichambre. Ils traversèrent une petite pièce dotée d'une cheminée à volutes de marbre, tout comme l'autre, mais sale et abandonnée. Celui qui avait conçu ou commandé le jouet avait désiré reproduire les lieux à l'identique de son souvenir, pour y figer quelque moment heureux, se l'approprier. Il n'y manquait que les habitants. Les figurines qui peuplaient le modèle réduit le rendaient plus vivant que celui-ci.

Émilie n'avait pas cru que quiconque pouvait avoir tapissé sa chambre d'un imprimé à gros camélias rose vif. Après l'avoir eue sous les yeux, elle se mouvait à présent à l'intérieur, elle aurait pu se coucher sur ce lit de même étoffe, dans le cas où elle aurait accepté de poser son postérieur sur un meuble resté si longtemps sans nettoyage.

Hormis la saleté, tout semblait à peu près en ordre, exactement aux mêmes places que dans la copie. C'était un lieu magnifique. Seule une immense catastrophe avait pu provoquer son abandon. À croire que la dernière grande peste parisienne n'était pas celle de l'an 1568.

Émilie se figea. À la différence des tapisseries miniatures, celles-ci portaient çà et là des traces brunâtres qui évoquaient du sang séché. Elle retourna des tapis dont l'envers était pareillement taché.

— On a assassiné des gens ici, pensa-t-elle tout haut.

À mesure qu'elle parcourait les pièces, son sens de l'observation lui indiquait partout les indices d'une tuerie. À son tour, Maupertuis recoupa des traces d'impact. Par des calculs mentaux compliqués et rapides, il déclara d'où venaient les projectiles et où se tenaient les cibles. Il était convaincu qu'une balle tirée depuis le palier avait fait sauter la tête d'un homme debout près de la cheminée, d'où les éclaboussures noirâtres autour du miroir doré.

— Divisé par le carré de l'hypoténuse… Oui, ça passe.

Ces capacités rendirent Voltaire perplexe.

— 25,5 fois 342? demanda-t-il pour voir.

— 8721, cher ami.

— Vous avez un boulier dans le crâne! s'écria l'écrivain.

— Un boulier! Ah ah! Dites plutôt la machine de Pascal[1]!

Pascal! Voltaire comprit ce qui lui déplaisait chez cet homme : il possédait sous le chapeau un morceau de l'auteur des *Provinciales*, ce janséniste surévalué qu'il avait fortement égratigné dans ses *Lettres philosophiques*.

Le tour du philosophe était venu. Il ne lui restait qu'à démontrer ce que pouvait l'imagination après l'observation et les calculs. Cette maison avait un mystère, un crime affreux y avait été perpétré, c'était elle-même qui le leur racontait. Il reconstitua les événements dans leur chronologie comme s'il les voyait se dérouler sous ses yeux, arpentant les corridors, reliant tous les faits, décrivant les mouvements des protagonistes, leurs cris, leurs supplications, et même leurs sentiments intimes, ce qui sembla beaucoup.

---

1. Précurseur de l'ordinateur.

— Son père est assassiné, dit le voyant avec de grands effets de manchettes en dentelle. Elle quitte sa chambre, court dans le couloir; elle tombe dans l'escalier; elle se relève, bascule sur la rampe, se fracasse en contrebas sur le dallage. Est-ce involontaire? L'a-t-on poussée? Quelle est cette ombre noire attachée à ses pas? Un ciel lourd pesait ce soir-là sur la capitale. Ô mânes des dieux compatissants! Quelqu'un a-t-il de quoi noter?

C'était époustouflant. À eux trois, ils avaient fait ressurgir le passé dont le souvenir était inscrit sur les murs.

— Quelle idée d'avoir reproduit le lieu du drame! dit Maupertuis, qui n'en finissait pas de fréquenter des farfelus, depuis quelque temps.

L'assassin avait-il fabriqué la maisonnette parce qu'il était fou de colère ou fou tout court? Émilie était songeuse. Le facteur de jouets n'avait pas repris les traces sinistres dans sa miniature. Il n'avait pas «reproduit le lieu du drame». Il avait reproduit le lieu *avant* le drame. Il avait *effacé* le drame. Sa maison de poupées n'était pas une copie, c'était une gomme.

— Cet homme a perdu l'esprit! dit Maupertuis.

— Non, dit Voltaire. C'est un poète. Seulement, son instrument n'est pas une plume, c'est un tournevis.

On espéra que ce ne fût pas aussi le poignard. Était-il l'assassin ou une victime réchappée du massacre? Voltaire penchait pour la première hypothèse. Ce Gépétaud ne professait pas un amour évident pour la philosophie, il ne lui avait consenti qu'un tout petit rabais sur les pantins à perruque. Cet homme était sûrement du genre à se permettre d'assassiner des servantes chez les femmes de science.

— Parfait! dit celle-ci. Arrêtons-le tout de suite!

Maupertuis exigea que le philosophe remplît d'abord sa promesse envers les physiciens de l'Académie. Il n'en voulait plus chez lui. Voltaire ne pouvait donc pas terminer cette enquête immédiatement : il devait d'abord entrer au couvent.

CHAPITRE DIX-HUITIÈME

Comment la philosophie entra au couvent.

Où se loger, maintenant qu'on était une dame ? Seules les religieuses proposaient des résidences convenables aux personnes du beau sexe. Le choix était vaste, Paris comptait deux cents communautés, treize abbayes.

— Chez les Madelonnettes, avec les prostituées repenties ? suggéra Maupertuis.

Voltaire n'en voulut pas, ni des dames de Sainte-Pélagie ou de celles du Bon-Pasteur, qui recevaient les racoleuses pénitentes, ni aller chez les filles de Saint-Paul, qui enseignaient la broderie aux gamines de dix ans, ni chez les Hospitalières de la rue de Sèvres, qui pansaient les malades et saignaient gratuitement les démunis, ni chez celles de la place Royale, qui recueillaient les indigents, pour ne rien dire des Augustines de

Sainte-Catherine, qui nourrissaient pendant trois jours les domestiques, ensevelissaient les noyés et les macchabées ramassés dans les rues ou en prison.

Les bénédictines anglaises de la rue du Champ-de-l'Alouette, faubourg Saint-Marcel, lui parurent un séjour plus tranquille. C'était un peu excentré, mais le bon air conviendrait à une dame aux entrailles fréquemment dérangées. Et puis, le Royaume-Uni lui avait porté chance lors de son premier exil. Nul doute que ces Anglaises se montreraient aussi accueillantes que l'avaient été les Londoniennes, quoique d'une autre manière. Il n'y rencontrerait personne de sa connaissance, cela valait mieux que la maison des filles Saint-Thomas, chez qui Mme Doublet tenait salon.

Il s'y rendit avec Linant. Un abbé, cela inspirait le respect aux plus crédules, il avait assez dénoncé cela dans ses traités.

La maison austère aurait pu abriter une caserne militaire, un asile de fous, un couvent de bonnes sœurs. C'était fermé de partout. On devinait un jardin dont les arbres dépassaient de la clôture. On n'y accédait pas plus facilement qu'en Eden, il fallait sonner et montrer patte blanche à l'émule de saint Pierre. Un imprimé était agrafé sur la porte. Voltaire s'y exprimait sur l'intolérance au

Royaume-Uni – cela lui était sorti de la tête, mais cela était bien entré dans celles des dames qui habitaient ici. Les superstitieux clouaient sur leur huis une peau de bête maléfique – une patte de loup, un hibou mort –, les dévots préféraient une page de Voltaire. Aussi, quelle idée avait-il eue de publier simultanément dans la langue de Milton!

— Nous avons bien choisi, remarqua-t-il, ces dames ont des lectures.

— Et puis, vous êtes déjà connu dans la maison, ajouta Linant.

Les appartements des couvents servaient de relais aux vieilles filles, aux veuves et aux voyageuses de province. Il fallut choisir ce qu'on serait. «Vieille fille», avait suggéré Maupertuis.

Une moniale en scapulaire à capuchon blanc leur ouvrit. La visiteuse se présenta comme la baronne douairière de Mâchicoulis.

— Avec un «s», précisa-t-elle. Nous en avons plusieurs.

Elle arrivait de Pouilly-en-Auxois, où elle avait eu le chagrin de perdre son mari.

— Pour la troisième fois.

— Quelle tristesse! dit la bonne sœur avec compassion.

— Oh, il n'y a que la première qui compte, c'est un coup de main à prendre.

— Et vous offrez désormais à Dieu les attentions que les hommes pourraient solliciter…, supposa la religieuse.

Voltaire avait ouï dire que ces dames avaient des exigences quant à la moralité de leurs locataires. Il acquiesça d'autant plus vivement sur la question des hommes et de Dieu qu'il n'avait l'intention de céder ni aux uns ni à l'autre :

— Oui! Voilà! Tout pour le bon Dieu!

On se méfia de cette Mâchicoulis qui leur tombait de la lune. Elle n'était certes pas la reine des nymphes, mais on en avait vu de moins fringantes qui couraient encore le guilledou. Le Seigneur seul savait ce que ces maigrichonnes à long nez cachaient sous leurs jupes.

La baronne présenta son gros chapelain, gage de moralité. Ces dames avaient près de la porte un pavillon pour les hommes d'Église qui avaient soin de l'âme des pensionnaires.

— C'est convenable mais modeste, prévint la logeuse.

— Cela ira très bien, dit Françoise-Marie.

— À quel point «modeste»? s'inquiéta l'abbé, à qui la vie philosophique avait donné des habitudes.

La supérieure souligna la vocation de son établissement, dont elles avaient fait un asile pour la chasteté, la pauvreté volontaire et la prière.

— C'est tout mon portrait! dit la veuve.

La nonne se vantait de diriger un îlot de vertu au centre de la dissipation, du luxe et des plaisirs qui les environnaient.

— Où ça? demanda l'abbé.

L'admission entre ces murs passait par une visite des bagages. Elles y découvrirent un livre de l'impie dont le nom faisait frémir les paroissiens. Voltaire n'avait pas fini d'y traquer ces fautes d'impression que le diable se plaît à semer dans les écrits des philosophes. Ce volume n'était pas un passeport pour la sainteté.

— Oh, madame, que lisez-vous là! s'écria-t-on.

— Ce n'est pas pour lire, c'est pour brûler, dit la baronne.

Ainsi, elle avait toujours de quoi faire des papillotes bien utiles pour allumer sa chandelle. Les nonnes approuvèrent cet usage de la philosophie. Cet hiver, résolues à porter la bonne parole jusqu'à ce féal de Satan, elles étaient allées coller des pages de *L'Imitation de Jésus-Christ* sous ses fenêtres pour l'inciter à faire retour sur ses fautes.

— Ah, c'était vous! dit la veuve, le sourcil froncé.

Les sœurs missionnaires se réjouirent. On avait donc entendu parler d'elles jusqu'à Pouilly-en-Auxois!

189

— Ma chère, le cri de la vertu porte toujours plus loin que le râle du vice, dit Voltaire, qui pensait précisément le contraire.

Une fois seul dans sa chambre, il arracha sa coiffe et se laissa tomber sur le lit, fort mécontent.

— Elles sont complètement zinzins!

Au-dessus de sa tête, un Christ en ivoire plaqué sur un fond de velours vert semblait lui dire : « Et moi je supporte ça tous les jours. »

Il avait prévu de les amadouer par quelques friandises, comme le rhinocéros à la ménagerie de Versailles. Son sac regorgeait de marrons glacés, de cachous, de pastilles à la menthe. Les sœurs s'inscrivirent toutes pour le péché de gourmandise.

— Par tous les bienheureux du paradis, où se procure-t-on pareils délices?

— Chez Procope, ma chère.

— Cet antre de perdition? Hanté par les philosophes? Et par les acteurs? Avec la Comédie juste en face? Nous n'y allons jamais!

— Moi non plus, jamais, jamais. Je me contente de leurs bonbons.

Le diable était chez Procope, mais ses confiseries ne sentaient pas le soufre.

Il en profita pour avoir avec ces bonnes personnes une discussion sur la foi, ce n'était pas tous les jours qu'un maître en rhétorique avait tout un couvent pour auditoire. La vie des saints s'y mêla d'anatomie.

— Peut-on vivre avec la tête tranchée? s'interrogea l'une des dames.

— On peut aller à Saint-Denis, concéda la baronne.

Il leur lut un recueil de pieuses réflexions qui n'étaient qu'un extrait de ses œuvres : «L'homme ne peut concevoir ce qui lui est complètement étranger. Partant, s'il est à l'image de Dieu, Dieu n'a pas de sens dans l'univers infini; et si Dieu est différent de l'homme, il échappe à tout effort d'entendement.» Il en conclut que ces dames et lui allaient devoir tenir debout sur leurs deux pieds sans Lui, il n'y avait guère d'assistance à attendre de ce côté-là. Sans en avoir l'air, il les convertissait à la philosophie. Cela ressemblait à du saint Thomas d'Aquin. Elles furent un peu déconcertées par la légèreté avec laquelle l'auteur traitait Notre Seigneur.

— Approuvez-vous, monsieur l'abbé?

L'abbé approuva la bouche pleine. L'enfer était pavé de calissons.

La sœur tourière annonça un visiteur qui demandait la locataire. C'était Maupertuis, qui n'entendait pas poursuivre l'enquête tout seul au prétexte que Voltaire était entré au couvent. La baronne l'accueillit sur le seuil et protesta tout bas.

— Vous allez me compromettre! Un célibataire!

Elle se tourna vers ses logeuses.

— Permettez-moi de vous présenter M. de Maupertuis, de l'Académie des sciences.

Les nonnes furent enchantées, le physique du physicien était aussi avantageux que sa physique.

— Méfiez-vous, il est un peu philosophe, les prévint Voltaire.

— Ça ne fait rien, dit une dame rougissante.

— Cela n'est pas grave, dit une autre.

— Nul n'est parfait, renchérit une troisième.

Il y avait apparemment deux poids deux mesures au bénéfice des mécréants bien de leur personne.

CHAPITRE DIX-NEUVIÈME

*Où l'on se demande s'il ne vaut pas mieux
rester dans le placard.*

Voltaire avait prêté Linant à Émilie pour la protéger pendant qu'il essayait de se protéger lui-même. Il avait insisté au motif qu'elle était menacée et qu'on n'est jamais trop prudent quand il s'agit de manipuler des armes.

— Parce qu'il est habile ? s'étonna la marquise.

— Parce qu'il est habile à recevoir des coups, précisa le philosophe. Il vous servira de paravent, de bouclier, de cuirasse, de matelas.

S'il devait se produire un accident, il aimait mieux que son secrétaire en souffrît plutôt qu'elle. Émilie le remercia de ses bonnes intentions, elle promit de le lui rendre aussi vivant que possible. Voltaire y tenait, il craignait de dénicher difficilement un nouvel assistant doté des mêmes qualités, il avait déjà eu du mal à définir quelles étaient ces qualités.

C'était la nuit, la gouvernante avait emmené les enfants chez une cousine, la marquise et l'abbé étaient presque seuls dans la maison. Elle était en déshabillé, mais pas du tout déshabillée – c'est-à-dire que d'autres femmes auraient pu aller au bal ainsi vêtues.

Depuis qu'elle avait appris que Voltaire poignardait les couturières à coups de poupées, elle se félicitait d'avoir enfermé les siennes dans leur maisonnette macabre. Elle ne pouvait supporter la pensée que ces figurines représentaient des personnes mortes en train de discuter avec leur assassin. Quelle lubie prenait-il aujourd'hui aux artisans d'imaginer pareilles atrocités ? Elle allait avoir du mal à expliquer à ses enfants que Mme Gâteau et M. Rototo s'étaient jeté à la figure tout ce qui leur tombait sous la main avant de s'entretuer gaiement. Il y avait dans la conception de ces jouets modernes quelque chose qui heurtait ses idées, même les plus avancées.

Le bilan de l'examen se révéla navrant. Cette maisonnette était truffée de pièges. Ses habitantes avaient les plus mauvaises mœurs. L'une contenait du venin qui suintait de ses yeux sous forme de larmes. L'autre avait du mordant, ses dents se refermaient sur vos doigts comme une pince coupante – cela coûta une plume à écrire qui retomba en deux morceaux. Une troisième vous lançait des piques au sens propre. La quatrième perdait la tête : elle vous la projetait à la manière d'une catapulte, Émilie manqua y perdre un œil (heureusement, la poupée visait mal). Le talent morbide du fabricant avait changé les défauts de caractère de ces figurines ou de leurs modèles en armes mortelles. Sans doute ne tiendrait-il pas à s'expliquer avec la maréchaussée sur le décès des personnes qui manipulaient son jouet. Ou sur l'existence même de celui-ci. Ou sur la disparition tragique des Parolignac.

Plus elle explorait cet arsenal miniature, plus elle se disait que la mort de Margoton pouvait avoir été un accident. Ce jour-là, M. Gépétaud ignorait encore où avaient abouti ses jouets égarés par la poste, il les croyait en Westphalie. Margoton avait dû tripoter les poupées, c'était une toucheuse. L'une d'elles l'avait piquée, elle était descendue en cuisine se laver la main, avait voulu prendre un linge dans le placard, et ce placard était devenu son tombeau.

— Que c'est donc bête !
— C'est l'ironie du sort, dit Linant.

— Exactement. Ces messieurs du Châtelet me tourmentent pour une affaire de meurtre qui n'existe même pas! Ah là là. On est peu de chose.

La petite danseuse était fichée sur un mât qui la maintenait debout. Émilie se dit que cette station devait avoir un but. Il y avait dans le dos un anneau, qu'elle tira. La poupée fit «cric cric cric» tandis que son ressort se remontait.

— Attention, reculez! dit-elle du ton des artificiers quand une bombe va être tirée.

Elle s'attendait à voir la poupée cracher un jet d'acide, ou pire. Mais celle-ci exécuta un gracieux menuet qu'ils suivirent avec un soulagement attendri. Elle sautillait, décrivait des arabesques, s'inclinait doucement. Le menuet fini, au moment de saluer, son éventail se déplia pour former une épée avec laquelle elle décapita son partenaire d'un coup sec. La tête du pauvre mannequin roula sur la réduction de tapis persan qu'une véritable personne eût gâté de son sang. Les cheveux des spectateurs se seraient dressés si ceux d'Émilie n'avaient été retenus par des épingles, par sa calotte pour l'abbé.

Les créatures de ce petit laboratoire de l'enfer étaient des appareils à commettre des meurtres. S'agissait-il d'un armement sophistiqué destiné à tuer à distance? Cela n'avait pas de sens : qui songerait à assassiner les gens avec des poupées?

— Le directeur du séminaire de Rouen, répondit Linant. Il nous disait toujours : « Méfiez-vous des jolies poupées! » Je comprends à présent ce qu'il voulait dire.

Ce qu'Émilie ne comprenait pas, c'était la propension des génies comme Voltaire à s'entourer d'abrutis. Ce phénomène la dépassait davantage que la physique de Newton. Il existait une sorte d'attraction universelle de son cerveau et du néant. Elle supposa que le piment ne se savourait vraiment que dans une préparation culinaire au goût bien fade.

— Vous êtes une bonne pâte, dit-elle à l'abbé.

— Merci, répondit celui-ci en salivant un peu, comme chaque fois qu'on évoquait la nourriture.

Elle voulut savoir laquelle de ces petites meurtrières avait tué Margoton.

— Nous cherchons une poupée avec un dard.

— Celle-ci? demanda Linant en lui tendant une figurine qui leur souriait gentiment.

Sa question fut aussitôt suivie d'un « Aïe! ». L'ombrelle de la demoiselle venait de se ficher dans la paume de l'abbé. Émilie arrêta sa main, qu'il voulait porter à sa bouche.

— N'y touchez pas! C'est empoisonné!

La poupée fit un saut périlleux tandis que l'abbé chancelait. Émilie ramassa délicatement le jouet pour l'étudier.

— Je vous félicite, vous venez de démontrer de quelle manière Margoton a été tuée.

— Vraiment ? dit l'abbé d'une voix mourante.

— Je pense qu'elle n'a pas survécu plus d'une minute.

La vue de Linant se troublait. Il tâta à l'aveuglette un fauteuil dans lequel il se laissa tomber pour y agoniser brièvement.

— Dites… dites à monsieur… que je ne lui en veux pas…, réussit-il à articuler tandis que ses yeux se révulsaient.

Émilie le regarda moribonder, la face blafarde, un filet de bave aux lèvres, comme un bovidé mordu par un crotale. Son dernier soupir s'éternisait.

— Vous savez, dit-elle en montrant la poupée, son épingle est toute sèche. Personne n'y a remis de poison depuis l'accident de Margoton. Si vous voulez mon avis, je ne crois pas que vous risquiez grand-chose. Tout le produit est parti dans le corps de ma servante.

Linant se redressa, se palpa, ses joues reprirent leur bonne couleur « jambon de Bayonne », ce fut un phénomène très curieux à contempler,

Émilie pensa qu'il faudrait écrire un jour un traité sur les effets de la suggestion sur les imbéciles.

— Pauvre fille! dit l'abbé. Je vais dire une messe pour le repos de son âme! Elle m'a sauvé la vie! Sa mort n'aura pas été vaine!

— Oui, voilà, dit la marquise en retournant à l'étude des jouets macabres.

Un curieux raclement attira son attention.

— Cessez donc de respirer si bruyamment, dit-elle à Linant. Vous ronflez tout éveillé!

L'abbé jura que ce n'était pas lui : il ne dormait qu'en dehors des heures de repas ; à ce propos...

Elle le fit taire d'un geste. Le raclement persistait. Il était tout près, mais ne provenait pas du boudoir. Elle descendit à pas comptés l'escalier principal, suivie par l'abbé qui avançait avec plus de lenteur à mesure que le bruit et sa peur augmentaient. Le son venait des communs. De la porte des communs. De la scie qui était en train de découper la porte des communs, dont ils voyaient la pointe courir à travers le bois. Un malandrin doté de bons outils à défaut d'une bonne moralité, voilà qui leur rappelait quelqu'un. Émilie eut la certitude que son fabricant de poupées était de l'autre côté, armé de tout autre chose que de bonnes intentions.

Où était le policier de Hérault censé la garantir contre toute intrusion ? Elle le découvrit affalé sur un sofa, inanimé, rétif à tout effort qu'elle fit pour le réveiller, et près de lui une bouteille d'un alcool coûteux qui ne devait pas lui être parvenue par hasard ni contenir seulement du vin. Il respirait, il avait eu plus de chance que Margoton.

Nonobstant le loir et le séminariste, elle pouvait compter sur sa cuisinière et sur sa femme de chambre, qui n'avaient pas reçu de formation militaire non plus. Elle envoya la seconde quérir le guet, mais son émissaire n'atteignit même pas le perron, c'était bloqué de l'extérieur. Le temps de forcer le passage on ne savait comment, le gros termite en train de dévorer la porte de la cuisine serait parmi eux. Émilie recommanda aux femmes de monter au grenier et de fermer la trappe aussi solidement qu'elles le pourraient.

— Mais… Et madame ? dit la cuisinière.

Madame n'avait pas un caractère à fuir le danger dans un grenier, non plus qu'à se laisser cambrioler sans rien dire. Elle retint Linant, qui s'était compté au nombre du personnel à calfeutrer, et l'arma d'ustensiles pour recevoir l'intrus comme il seyait.

— De quoi avait-il l'air, ce marchand de jouets ?

L'abbé lui décrivit un rondouillard pas très grand ni très vif. Émilie ne vit rien là qui pût résister à un bon coup de casserole, et justement elle disposait d'une batterie en cuivre de première qualité.

Le battant céda brutalement, ses débris s'éparpillèrent sur le sol tandis que leur assaillant posait le pied dans la maison devant un séminariste aux abois et une marquise abasourdie.

Ce ne fut pas un homme qui entra, mais une chose animée, monumentale, bardée de fer, au visage rutilant dépourvu d'expression, et qui crissait. Les bras se terminaient non par des mains, mais par divers instruments amovibles, des pinces, des scies, des pieux, c'était un atelier de coutellerie sur pattes. Léonard de Vinci avait dû faire ce cauchemar entre deux inventions, après avoir trop mangé d'osso-buco arrosé de chianti. Émilie lança à tout hasard une louche bien lourde à la tête de l'intrus. Cela fit « bling » en heurtant le heaume hérissé de piques, un résultat qu'elle jugea tout à fait insuffisant pour rétablir l'équilibre des forces.

Elle put d'autant moins songer à soutenir l'assaut que la moitié de ses troupes, celle composée d'un homme d'Église, lâcha sa passoire en cuivre pour s'enfuir en poussant des hurlements d'effroi.

Émilie suivit parce que, privée de son bouclier humain, il lui fallait se replier ou servir de noisette au casse-noisette qui venait d'entrer.

Dans l'escalier, à l'étage, Linant courut en tous sens avec des gémissements de souris acculée par le chat. Émilie ouvrit un placard. Ce n'était pas eux que cherchait l'envahisseur, la dernière erreur aurait été de se poster sur son chemin.

À travers la double porte, flanquée d'un Linant tremblotant, elle entendit le monstre monter vers eux, puis visiter les pièces d'un pas à faire trembler les murs. Il termina par le boudoir où étaient la maison de poupées et leur placard. Par le trou de la serrure, elle vit un plateau se déplier contre l'abdomen. L'être inhumain y déposa le jouet et s'en retourna avec une légèreté éléphantine.

Un moment après, tout bruit cessa dans la maison. En dépit des supplications de l'abbé, Émilie voulut quitter le réduit, ce qui se révéla impossible car il n'avait pas été prévu pour s'ouvrir de l'intérieur. C'était d'autant plus fâcheux que les timorées du grenier attendraient qu'il fît jour pour se montrer : ils risquaient d'être coincés là, elle et l'homme-chiffe, pour le reste de la nuit. Elle regretta l'absence de son philosophe à tout faire.

— Si M. de Voltaire était là, il saurait comment procéder, il est très fort pour sortir des placards.

Elle renifla une odeur d'ail. Du moins ne mourraient-ils pas de faim : Linant mâchouillait du saucisson, qu'il conservait dans ses poches en prévision des grandes famines. Une envie de pain lui étant venue pour accompagner la charcuterie, son cerveau se réveilla, il assura qu'il avait une idée, et s'escrima une demi-heure contre les charnières sans résultat. Soudain, ils entendirent un grattement.

— Le monstre ! glapit l'abbé. C'est le monstre ! Dieu tout-puissant, pardonnez-moi d'avoir vécu aux crochets d'un impie et d'une catin !

Émilie ne croyait pas que l'homme de métal était revenu leur faire un mauvais sort. Cela ne cadrait pas avec les mobiles qui semblaient animer ses rouages, et on ne voyait pas de scie traverser le battant. En revanche, une griffe se fraya un chemin dans la jointure.

— Aaah ! cria Linant.

Quand il eut fini de crier, Émilie entendit ronronner.

— C'est Majesté.

L'ancien chaton de la princesse de Monaco se montrait fort intéressé par ce réduit d'où émanait une savoureuse odeur de salaison. Émilie regretta qu'un panneau les séparât, elle aurait bien eu besoin de caresser l'aimable animal pour s'ôter sa nervosité et son ennui – tandis que, de ce côté-ci, elle n'avait nulle envie de caresser l'abbé.

Le chat se mit à miauler. Il faisait des bonds. Elle comprit qu'il essayait d'abaisser la poignée. Il y parvint bientôt, la serrure se débloqua d'un coup, ils purent s'extraire de leur prison. Émilie prit dans ses bras son sauveur plein de poils qui ronronnait.

— C'est fou, dit-elle : ce chat est plus intelligent que vous!

— Oui, admit Linant.

Le projet de Majesté n'était pas d'obtenir des caresses : il tentait d'agripper les poches de l'abbé où était le saucisson. Il avait pris l'habitude d'aller se fournir dans les abondantes réserves conservées dans les bagages de ce gros invité. Émilie les regarda s'empiffrer tous deux, le quadrupède et le bipède.

— Voilà ce que c'est de garder de la nourriture chez soi : ça attire les parasites.

L'abbé, la bouche pleine, nourrissait le chat, qui bourdonnait.

— Mais igna des baragites udiles! fit-il observer.

C'était une évidence à laquelle elle dut se rendre.

Elle marcha sur quelque chose, se baissa et ramassa un écrou. Était-il possible que ce marchand utilisât des poupées géantes, plaquées et boulonnées, pour commettre des forfaits? Si on ne pouvait plus se fier aux petits rondouillards vendeurs de jouets, à qui le pouvait-on?

Il fallait au moins qu'il eût reçu l'aide d'un mécanicien de premier plan. Le seul facteur d'automates capable d'un tel tour dont elle eût entendu parler, c'était ce célèbre ingénieur que le chirurgien Quesnay, entre l'ablation de la rate et du foie de Margoton, leur avait dit conseiller pour affiner les caractères anatomiques de ses créations.

Il allait y avoir du rififi dans les tournevis.

CHAPITRE VINGTIÈME

Voltaire, reine des salons parisiens.

Quand ses femmes réapparurent, l'œil ébahi, armées de balais, Émilie envoya l'une d'elles prévenir ces messieurs que le fabricant de jouets perdait ses boulons. La porteuse du billet était encore secouée par ce qu'elle avait entendu (le crissement du métal, le pas lourd et puissant d'une machine ambulante), par ce qu'elle avait vu (les débris de la porte, la disparition de la maison de poupées, le gardien évanoui), et d'avoir passé la nuit calfeutrée dans un grenier en compagnie des rats, des hiboux et des araignées.

De l'avis commun, le seul ingénieur capable de concevoir pareille machine se nommait Vaucanson. Il avait présenté des automates au roi, aux courtisans, à tous ceux susceptibles de lui passer des commandes pour financer ses travaux.

— Nous allons lui serrer la vis! déclara Voltaire.

Vaucanson collaborait avec Quesnay pour concevoir des mécaniques humaines. La dernière fois qu'ils avaient vu Quesnay, il découpait Margoton avec l'intention de fonder une soi-disant médecine légale. Paris était un village. Un village plein d'illuminés.

Ils brûlaient de demander à ce Vaucanson ce qu'il trafiquait, où il était la nuit passée, et s'il n'avait pas pour loisir d'expédier les gens dans l'au-delà par des méthodes fantasques. Au bas de sa lettre, Émilie indiquait qu'elle attendait le résultat de leurs recherches pour savoir si elle devait renforcer son portail et ses placards.

Voltaire eut une idée.

— Je rencontre ce Vaucanson, je le séduis par quelques œillades – les femmes n'ont aucune difficulté à cela, j'ai bien étudié le principe –, je lui extorque ses petits secrets, fin de l'enquête!

— Une autre idée? demanda Maupertuis.

Pour sa part, le savant n'avait pas le temps de se pencher sur la question, il devait aller à sa séance de l'Académie. Il laissa s'interroger ceux qui n'étaient pas académiciens.

Voltaire se campa devant son miroir. Il ne voyait pas pourquoi le grincheux géomètre n'avait pas bondi sur sa proposition, elle lui paraissait excellente. N'avait-il pas déjà séduit son lectorat, le public des théâtres, et la femme de science la plus brillante? Embobiner un artisan du tour d'écrou serait un jeu d'enfant!

Aussi se présenta-t-il peu plus tard chez Mme de Tencin, qui recevait ce jour-là les plus éminents lettrés et leurs amies.

— La baronne Aldeberge de Mâchicoulis! annonça l'aboyeur.

— Avec un *s*, précisa la visiteuse en distribuant des sourires à la cantonade.

Elle se recommandait de Maupertuis, son cousin, ce nom lui servit de billet d'entrée. Les personnes présentes ignoraient que Maupertuis eût une cousine baronne. Sur le ton de la confidence, la visiteuse déclara de manière que tout le monde entendît :

— En réalité, les Maupertuis sont la branche de la famille dont on ne parle pas... à cause du flibustier, vous savez... On est un peu pirate, de leur côté...

Chacun savait que le père du savant avait commandé une flotte corsaire. Bref, les Maupertuis n'étaient pas des gens fréquentables, ils avaient bien de la chance d'avoir la baronne Voltaire dans leur parentèle.

Il y avait un buffet de douceurs, festival de crèmes meringuées, de sultanes au citron vert, d'abbesses au chocolat, de mariées pralinées, de duchesses à la vanille, de beignets d'amandes, de pain à chanter, de diablotins-pistache, de pommes surprises, de cerises confites, de pastillage à la réglisse, de candi à la violette, de claquerets transparents fourrés de coing, de guimauve à la framboise et de gelée d'épine-vinette[1] à déguster sur un biscuit. Aldeberge minauda.

— Je ne voudrais pas gâter ma taille…

— Comment donc! dit un vieux naturaliste. Madame a conservé sa taille de jeune fille!

— Après huit grossesses! dit Voltaire. Qui le croirait? Je vis d'un régime à base de lentilles.

Son visage long doté d'un nez leur en rappelait un autre.

— Vous a-t-on dit que vous aviez un air de famille avec certain philosophe?

Elle admit qu'on lui avait fait la remarque une ou deux fois. D'ailleurs ses parents étaient clients du notaire Arouet. Après ces propos équivoques, un ange traversa la pièce dans la consternation générale.

— Bien sûr, c'est juste une coïncidence, ajouta-t-elle.

---

1. Fruit rouge et acide.

On acquiesça, bien que sa physionomie persuadât du contraire.

— En revanche, pour la hauteur, vous ne lui ressemblez guère. Il est plus petit.

— Oui, dit quelqu'un. Beaucoup plus petit! C'est un courte-botte! Un nabot!

— Mais quel génie! s'empressa de déclarer la baronne. Cette ressemblance est pour moi un honneur!

Un ange rejoignit le premier, il devait se tenir un synode dans la pièce à côté.

La baronne avait des dons de société, elle fit tout l'agrément de l'après-midi. Elle donna lecture d'une tragédie inca qu'elle avait l'intention de donner aux Comédiens-Français.

— C'est presque aussi beau que du Voltaire! dit quelqu'un.

— Comment, «presque»?

Il apparut que ce nom ennoblissait les vers qui s'imprimaient sous son label.

La reine des salons parisiens n'avait pas fini d'énumérer ses châteaux en Espagne quand arriva Maupertuis.

— Notre hacienda de vingt mille escudos dans l'Estrémadure, notre posada, nos vignes de rioja, notre estancia en Andalousie, où nos gauchos élèvent des taureaux pour les matadors des corridas, notre alcazar décoré d'azulejos où sont mes negritos, mes duègnes et mes aficionados… Ah, je me languis des médianoches où nous dansions le fandango au son des mariachi!

La vue de l'histrionne et de son auditoire suscita chez le savant une joie mitigée. L'impression s'aggrava quand sa « cousine » lui lança à travers la pièce :

— Alors, Maupertuis, vilaine bête, toujours pas marié?

Une dame glissa à Voltaire, en fausse confidence, derrière son éventail :

— Je me suis laissé dire que notre ami courtise une personne qui n'est pas libre.

— Croyez-vous? Vraiment? Hélas, que pouvons-nous, pauvres créatures, contre les assiduités d'un si bel homme, et savant, qui plus est, paraît-il!

— M. de Maupertuis devrait épouser une femme comme vous!

— Taisez-vous donc, vous allez me l'intimider. Hein, mon petit cafard embaumé?

Petit cafard avait avalé son astrolabe et son compas avec la pointe.

— Chère petite crotte d'amour, reprit la baronne en lui donnant un coup d'éventail sur le bras. Je vous autorise à m'appeler Aldeberge.

Après ces preuves d'intimité, la compagnie n'eut plus en tête que de marier lady Voltaire.

— Une veuve qui a du bien, encore jeune, avec des appas…

— Allons donc, friponneau! protestait l'intéressée avec des gloussements. Croyez-vous que je pourrais être sa poupoule en sucre?

Mme veuve Mâchicoulis montra qu'elle avait des lectures :

— Nous devons devenir ce que nous voulons être, car ce que nous voulons être est exactement ce que nous sommes.

— Oh! Une femme philosophe! s'extasia un latiniste.

— Diriez-vous, chère cousine, que vous êtes devenue ce que vous vouliez être? demanda Maupertuis.

— Je crois en l'intelligence des femmes, déclara Voltaire. Cette conviction m'est venue tout récemment.

Depuis qu'il portait des jupes, il s'était rendu compte qu'elles n'empêchaient pas de penser.

— J'écris des tragédies, aussi. Connaissez-vous *Alzire* ? demanda Aldeberge à son cousin. C'est l'histoire d'une belle Inca poursuivie par un hidalgo qui…

Maupertuis l'interrompit avant l'invasion du Pérou. Il saisit le bras de Vaucanson qui venait

213

d'entrer et lui présenta sa baronne. Vaucanson n'était pas encore de l'Académie.

— Je trouve qu'il y a beaucoup de grands esprits qui n'y sont pas, dit Mme Voltaire. Il faudrait fonder une académie des refusés. Vous ne croyez pas, Maupertuis?

— Oh, moi je suis de celle des acceptés.

L'attention se tournait vers l'ingénieur aux automates, Maupertuis en profita pour prendre sa cousine à part.

— Ce n'est pas en femme que nous aurions dû vous déguiser, c'est en fou, et vous faire enfermer aux Petites-Maisons.

Voltaire lui trouva l'air grognon, il lui conseilla les macarons à la rose.

— Quelle idée de vous présenter comme ma cousine! s'insurgea le savant.

— Ne vous plaignez pas, dit la baronne : ma parenté vous ennoblit.

Tandis que la Voltaire retournait mener l'enquête entre les petits fours tout en déclamant de la poésie précolombienne, Maupertuis attira Vaucanson à l'écart pour s'informer des progrès de la mécanique et du crime organisé.

Il apparut que l'inventeur avait un alibi. Avec ses ouvriers, il s'échinait nuit et jour à assembler ses automates pour livrer les cours étrangères.

On douta qu'il eût le temps d'aller cambrioler des marquises ou d'empoisonner des servantes. Il était en revanche persuadé d'avoir été espionné. Il soupçonnait l'un de ses hommes d'avoir vendu ses plans à un concurrent : il avait ouï parler de mécanismes similaires aux siens, alors qu'il en avait créé le principe.

— Ah! s'écria dans leur dos lady Voltaire, venue froufrouter de ce côté. Le monde est plein de menteurs et de tricheurs! On ne sait plus à qui l'on s'adresse!

Elle laissa tomber son mouchoir pour voir lequel des deux le ramasserait, un vieux rêve enfin réalisé. Tandis que l'ingénieur se courbait jusqu'au plancher, l'autre empoigna la dulcinée par le bras.

— Excusez-nous, cher ami, ma cousine a besoin de se repoudrer le museau.

Les invités le regardèrent enlever la dramaturge péruvienne. La figure des dames s'allongea. Non seulement le beau physicien les quittait, mais il avait distingué une personne sur qui elles n'auraient pas misé trois liards. Ce devait être le charme de la versification inca.

— Ah, ces amoureux! dit Vaucanson. C'est tout complicité et chamailleries.

Qui eût cru que Maupertuis se caserait un jour, et avec cette femme-là! Ces érudites avaient des ressources cachées, en plus des possessions ibériques énumérées avec complaisance. Ces dames poussèrent un profond soupir.

Entraîné par Maupertuis, le philosophe quitta la maison sans savoir qu'il venait de remporter sa victoire mondaine la plus éclatante.

Où l'on introduit ses doigts dans les rouages du crime.

Maupertuis était pressé de conclure l'enquête afin de tirer Émilie d'embarras, et lui-même d'un embarras encore plus grand qui se pavanait en robe de soie à vingt sous l'aune. Il convainquit ses compères de l'accompagner au plus tôt chez ce concurrent que Vaucanson accusait de lui avoir volé ses plans. Ils y allèrent à trois, Voltaire toujours en femme, et Linant en ce à quoi il ressemblait d'habitude. Le philosophe avait enfilé pour l'occasion un petit habit de chasse peu tachant, parfait pour cambrioler chez les fous furieux parce qu'il vous cintrait la taille sans gêner les mouvements.

— Je pourrais danser avec! dit-il devant le mathématicien, qui hésitait entre le poignard et la corde.

Par un de ces curieux hasards de l'existence qu'on ne s'explique guère avant de comprendre qu'il n'y aucun hasard, l'atelier de M. Stanislas Franquin était installé dans les dépendances de l'hôtel abandonné dont la modiste occupait une autre partie. Tout les ramenait décidément à cette maison, il devait y avoir un mauvais œil braqué dessus.

C'était officiellement une horlogerie. Au-dessus de la porte, pour attirer le chaland, un canard en métal battait des ailes toutes les trois minutes et faisait « coin coin ».

Ils s'embusquèrent derrière la guérite d'un marchand de beignets. Un bruit de mastication ne tarda pas à se faire entendre. Voltaire allait faire une remarque à l'abbé lorsqu'un bonhomme très bien vêtu quitta l'atelier, leva le nez avec perplexité et regarda dans leur direction. Maupertuis gronda Linant.

— À quoi sert de nous cacher si vous bruissez plus fort que la machine de Marly[1] ?

Voltaire reconnut en ce bourgeois d'allure opulente l'ancien ministre de la Guerre, le cousin d'Émilie, ce Breteuil remercié pour incompétence :

---

1. Pompe à eau créée pour alimenter les bassins de Louis XIV qui s'entendait à des kilomètres.

Louis XV s'était lassé de ne jamais pouvoir sortir ses armées parce que son ministre ne faisait nulle différence entre une bouche-à-feu et un mortier, et de mobiliser ses services diplomatiques pour éviter tout risque de conflit. Depuis lors, il avait renvoyé Breteuil, déclaré la guerre aux Autrichiens, et tout le monde s'amusait sur les champs de bataille.

— Mais c'est le cousin François! s'exclama le philosophe.

Il fallut le retenir d'aller l'embrasser de la part d'Émilie dans la tenue qu'il portait. Le marquis de Breteuil était un homme charmant qui les eût volontiers mis tous deux à la Bastille. Il n'avait jamais admis le sentiment de sa cousine pour le provocateur impie. Il détestait le scandale et, pour une raison impénétrable à l'auteur des *Lettres philosophiques*, le considérait, lui, comme un scandale en souliers vernis.

Le marquis prit place dans sa chaise, que soulevèrent deux porteurs à sa livrée. Un moment plus tard, un monsieur qui devait être le propriétaire sortit à son tour et ferma sa porte à clé. Tout ce qu'ils en virent de si loin était une forme longiligne et osseuse. Ils supposèrent que le sac calé sous son bras contenait le produit d'une vente, un magot qu'il était pressé de déposer chez son banquier.

219

L'homme parti, Voltaire se pencha sur la serrure tandis que les deux autres faisaient mine d'admirer le canard.

— Il n'y a pas que les facteurs d'automates qui savent faire des tours de magie, dit le philosophe.

Hop, ouverte. Ils refermèrent derrière eux. De combien de temps disposaient-ils ? Voltaire fit le compte :

— Le bonhomme est parti cacher ses sous. Comme c'est l'heure du repas il va vouloir manger, comme il a conclu une affaire il va boire pour fêter ça, et pour peu qu'il s'assoupisse, nous ne le reverrons pas avant deux heures de maintenant.

La première pièce était meublée de tables-vitrines garnies de montres rutilantes, on devait les astiquer une fois la semaine pour éblouir le chaland. Certains boîtiers étaient fermés, d'autres ouverts pour faire admirer le mécanisme ouvragé. C'était magnifique et banal.

— Attention ! dit Maupertuis. Si son atelier est aussi truffé de pièges que la maison de poupées, cet endroit est plus dangereux qu'un champ de tir !

La pièce suivante était une forêt enchantée peuplée d'animaux rutilants. Un cygne élégant nageait sur une mare argentée où il gobait de petits poissons. Des crocodiles métalliques, la mâchoire entrouverte sur d'interminables rangées de dents, ne donnaient pas envie de savoir s'ils pouvaient bouger. Une main coupée en bois était articulée par des tiges de fer extérieures, une clé fichée dans le poignet à l'emplacement de l'os. On la tournait, la main se déplaçait telle une araignée. Linant fit trois pas en arrière.

— Seul un cerveau dérangé peut inventer pareille horreur! Une main artificielle! Cet homme a le cerveau en compote!

Et encore, il avait l'impression d'insulter la compote.

La figurine qui les impressionna le plus était exposée un peu à l'écart, dans un cercle tracé à la craie sur le sol. C'était la réplique parfaite de la petite danseuse trouvée dans la maisonnette, sinon que celle-ci avait la taille d'une vraie femme. Son visage était d'une adorable mignonnerie, ses cheveux sortaient de chez le meilleur perruquier, elle portait une robe écarlate de la boutique de couture voisine. Le buste, qui s'ouvrait dans le dos par une trappe, était rempli d'un impressionnant assemblage de roues en cuivre.

— Nous avons découvert le plus grand horloger de l'univers! dit Maupertuis.

La troisième pièce contenait une collection de maisons de poupées : des maquettes de châteaux à l'échelle avec leurs jardins, une gentilhommière avec des parterres à la française où s'élevait une pagode chinoise en réduction qui était la miniature de la miniature.

— Oh! dit Voltaire. Le donjon de la rue Saint-Antoine!

C'était un modèle réduit de la Bastille qui semblait avoir été copié sur une maquette de l'administration, car il dévoilait les aménagements intérieurs de la forteresse, les caves, les escaliers, les resserres, des renseignements fort utiles pour l'évasion des philosophes. Voltaire tâcha de graver dans sa mémoire les détails de ce qu'il appelait «le château de Charles V à la porte des Tournelles». Maupertuis s'étonna :

— Pourquoi ne dites-vous pas simplement la Bast…

— Chut! Ne prononcez pas ce mot! Ça fait venir le gouverneur!

M. de Launey était comme le diable et l'intendant des Finances : on ne pouvait l'invoquer sans risque.

Les plans étaient conservés dans un meuble constitué de tiroirs plats et larges. Ceux de l'automate grandeur nature étaient tamponnés dans l'angle droit d'un petit «V», initiale de Vaucanson. Les accusations de l'ingénieur semblaient fondées.

En plus du canard en laiton qui bat des ailes, M. Franquin avait inventé l'espionnage industriel.

— Ciel! s'écria Linant. Mais c'est malhonnête!

— Remettez-vous, lui dit lady Voltaire, nous aurons nos vapeurs plus tard. Et ils valent cher, ces plans? demanda-t-il à Maupertuis.

En fait, leur valeur était proche du zéro : personne de sensé ne croyait à l'avenir de ces créatures animées. Vaucanson prétendait qu'elles pourraient un jour accomplir certaines tâches à la place des hommes, ce discours amusait encore plus que ses réalisations, c'était un rêveur.

Voltaire était perplexe. Il ne fallait pas rire des rêveurs : ils se transforment parfois en visionnaires, d'aucuns écrivaient même des traités d'un modernisme magistral.

Il se demanda ce que le cousin Breteuil était venu fricoter ici. Avait-il fait l'acquisition d'une arme nouvelle en sa qualité d'ancien ministre de la Guerre? Ou au contraire voulait-il s'en servir pour assassiner quelqu'un, par vengeance ou par ambition? Dans ce panier de crabes qu'était la cour, il n'était pas nécessaire d'être fou pour fomenter la perte de son prochain, de sa prochaine, voire du monarque de son prochain.

François de Breteuil était le parrain du dernier enfant d'Émilie. Devenu ministre par l'intrigue, renvoyé pour son ignorance, recasé comme chancelier de la reine, une place honorifique, devant quel complot ne reculerait-il pas pour regagner sa puissance perdue? À quarante-huit ans, il avait déjà donné son nom à une avenue.

— À ce compte, je réclame un boulevard! dit Voltaire. Une place! Un lycée!

Maupertuis leva les yeux au ciel. Décidément, les écrivains ne mettaient aucune limite à la gloriole.

— Commencez donc par faire quelque chose d'utile, préconisa-t-il.

S'ils accusaient un ancien ministre du roi de conspirer pour tuer des gens, c'étaient eux qui iraient en prison. Les efforts de Voltaire pour l'amélioration de la société n'avaient pas encore porté leurs fruits, c'était même la raison de son combat.

Il leur fallait des preuves irréfutables pour incriminer un si grand courtisan. L'idéal eût été de le surprendre les deux mains sur un couteau planté dans le dos de sa victime. Ça n'allait pas être un jeu d'enfant.

Où Voltaire fait avancer la cause des femmes qui boivent du café.

L'écrivain se sentait un peu mou, ces émotions le laissaient épuisé, une dose de café s'imposait. Maupertuis n'en tenait point chez lui et l'on n'acceptait point les dames seules dans les établissements de bon ton : la présence de robes encourageait les mauvaises mœurs.

— Que les hommes sont donc suspicieux! dit Voltaire. Ai-je une tête à vendre mes charmes?

— Pas du tout, répondirent en chœur ces messieurs.

— Qui m'accompagne pour aller prendre cinq ou six tasses?

Maupertuis s'esquiva, il devait terminer un rapport trigonométrique sur la manière d'inclure les triangles dans des cercles, toutes ces amusantes futilités policières retardaient d'éminents travaux. Linant n'avait pas de théorème à démontrer, il était au service de son protecteur, et les endroits où l'on mangeait l'attiraient comme les pièges les souris.

Voltaire était content d'avoir un chaperon. Depuis qu'il portait jupon, il avait moins peur des policiers, mais davantage des hommes en général.

— Je ne voudrais pas que quelque butor s'autorisât des privautés, je suis une honnête fille.

— Rassurez-vous, je crois que vous êtes en sûreté, laissa échapper Linant.

— Dites tout de suite que je ne suis pas mignonne!

— Si fait, mais monsieur exhale un si grand air de dignité qu'on n'oserait pas mettre la main au panier de monsieur.

Comme pour donner tort à l'abbé, alors qu'ils traversaient en toute innocence le faubourg Saint-Germain, l'écrivain sentit qu'on lui pinçait le postérieur. Il se retourna comme une toupie et fustigea l'impertinent.

— Ah! Mais! Respectez les fesses de la philosophie! Est-ce que je vous tripote le choubignou, moi? Malappris!

Le scélérat s'enfuit sous une pluie de gifles gantées qui n'avaient rien de gracieux.

Lorsque la dame très chamarrée suivie de son chapelain se présenta à l'hôtel du Saint-Esprit, un établissement plein d'artistes où l'on tenait table ouverte, un serveur lui barra la route avec politesse et fermeté. C'était mal connaître la baronne.

— Dis donc, mon joli, lui dit-elle tout bas, nous ne voulons pas que M. Hérault entende parler des parties de biribi qui se tiennent ici le jeudi soir, n'est-ce pas?

Il apparut que la délation pouvait beaucoup pour la cause féminine. Ces mots obtinrent à Mme de Mâchicoulis un bout de banquette dans un coin, à condition qu'elle se montrerait discrète.

— Cela tombe bien, c'est ma spécialité, dit Voltaire.

— Votre présence ne doit pas perturber messieurs les auteurs, insista le garçon.

— Je vous comprends. Ce sont tous des cochons.

À la table la plus proche, le cochon Desfontaines et le cochon Saint-Hyacinthe débattaient des nouvelles du monde littéraire. Voltaire consulta la carte gravée où figuraient les meilleurs cafés cultivés sous les tropiques : Moka, Java, île Bourbon, Martinique, Guadeloupe et Saint-Domingue. C'était sa lecture la plus agréable depuis son retour, il commanda tout le menu. Caché derrière son éventail, il sirota son breuvage en écoutant le papotage de ses collègues. Avec un excellent savoir-faire dans le faire-savoir, ceux-ci vantaient les qualités de Montesquieu, « qui était si modeste ».

— La modestie est à la mode! murmura Voltaire. Je suis fichu!

La conversation bifurqua de manière moins flatteuse sur la personne de l'exilé lorrain. L'abbé Desfontaines, un critique que Voltaire avait sauvé d'une accusation de sodomie et de manger gras les jours maigres, le remerciait depuis lors en se faisant un métier de publier en volume toutes les anecdotes scandaleuses à son propos.

— Il y a des insultes qui grandissent ceux qui les reçoivent, bougonna l'intéressé.

Pour sa part, Thémiseul de Saint-Hyacinthe avait été condamné par contumace pour avoir défloré l'une de ses élèves. De retour à Paris après plusieurs années d'exil, il avait publié un pamphlet sur la vie du célèbre philosophe, crime encore moins pardonnable. Ces messieurs échangeaient leurs impressions, sans doute en vue de prochains ouvrages d'un bon rapport. Ils lui reprochaient notamment ses indiscrétions.

— Quel toupet! marmonna leur voisine aux longues oreilles. Il n'y a que les ragots d'intéressants : eux seuls sont vrais!

Sans se départir de la sérénité des baronnes que rien n'atteint, il pria Linant d'interrompre ses mastications pour prendre un carnet.

— Notez! Notez les noms!

Cette habitude des gens de lettres de s'assassiner mutuellement dans leurs publications lui paraissait tout à fait scandaleuse, il ne pouvait pas laisser passer cela. Il allait y avoir sous peu du pamphlet bien saignant dans le marigot.

— Monsieur serait-il jaloux? insinua Linant, dérangé dans sa dégustation.

— Moi? dit Voltaire, offusqué. Mon talent me protège de toute envie pour le succès de mes confrères : s'ils ont quelque chose que j'aurai peut-être un jour, j'ai quelque chose qu'ils n'auront jamais. L'envie est la manifestation de l'intuition que l'on ressent de sa propre médiocrité, j'en suis indemne.

De son point de vue, les gens qui n'avaient rien fait nommaient «orgueil» la satisfaction de ceux qui ont réussi quelque chose.

Les baronnes philosophes n'étaient pas seules à fouiner en ces lieux mal famés. René Hérault avait chargé un inspecteur d'aller vérifier que certain proscrit ne se livrait pas à ses deux vices favoris, l'imprégnation caféinée et l'espionnage. Bien sûr, il ne pouvait venir à l'idée de personne que le penseur se fût affublé d'une mantille et d'un décolleté à la levantine, seul un individu à l'esprit dérangé aurait pu imaginer une chose pareille. Aussi le mouchard rendit-il son salut à sa seigneurie Mâchicoulis en se promettant de faire un rapport sur l'admission des dames dans les débits de boissons.

Milady Voltaire avisa un acteur qui venait d'entrer. Abraham Quinault-Dufresne avait déjà créé deux grands rôles dans ses tragédies, pourquoi pas un troisième? Le comédien eut la surprise de voir une inconnue pour le moins entreprenante l'encourager par signes à la rejoindre au fond de la salle. Comme il rechignait, Linant vint le chercher de la part de la belle. «Un rabatteur!» songea avec horreur le sociétaire.

— Monsieur l'abbé, n'avez-vous pas honte pour l'habit que vous portez?

— Madame m'a dit de vous dire que vous devez venir immédiatement et que votre femme n'en saura rien.

Ces mots avaient un petit parfum de chantage. Quinault-Dufresne résolut d'aller exprimer à la péronnelle ce qu'il pensait de ses façons. Celle-ci, à demi cachée derrière l'éventail, lui indiqua un siège d'un geste gracieux. Ce regard sombre, vif, pénétrant, évoquait celui d'un dramaturge qui déclamait désormais pour les mulots et les crapauds.

— J'ai déjà vu ces beaux yeux, dit l'acteur. Ne seriez-vous pas la tante d'un philosophe?

— Sa grand-mère, paltoquet! rétorqua l'écrivain, qui n'avait pas passé une heure à se farder pour s'entendre décrier par un bateleur à la vue basse.

Le comédien manqua tomber de sa chaise.

— Vol... Vol...

On lui assena quelques coups d'éventail sur la tête pour l'engager à la discrétion.

— Plus bas! Tenez-vous droit, on nous regarde. Souriez, dit le metteur en scène de la philosophie de café.

Il l'avait agrippé dans l'intention de lui placer sa nouvelle pièce inca, *Alzire*, le prochain succès de la scène tragique.

— Vous serez parfait pour jouer Zamore : c'est un mufle.

Il lui remit l'exemplaire qu'il portait toujours entre sa chemise et son corset pour les cas d'urgence.

— Je ne la montre qu'à vous seul! assura-t-il comme il l'avait fait à Crébillon fils, à d'Argental et à Mme du Châtelet, qui eux aussi lui avaient juré le secret.

Il la lui résuma tandis que l'acteur parcourait le texte. Voltaire avait conscience que beaucoup de choses passeraient pour des impiétés à cause de son nom, mais il comptait que le style sauverait l'affaire. Quinault-Dufresne estima qu'il demandait au style d'opérer des sauvetages dans des conditions désespérées. De toute façon, après la cabale déclenchée par ses *Lettres philosophiques*, jamais la censure ne lui autoriserait une tragédie plus corsée que *Blanche-Neige*.

— Le spectacle sera interdit au bout de trois jours, et ce ne sera pas le fait des Incas, prédit le comédien.

Heureusement, c'était dans l'adversité que Voltaire concevait ses projets les plus brillants. Une idée lui était venue :

— Vous programmez une vieillerie ennuyeuse, du Corneille par exemple. Au dernier moment, vous déclarez que le premier rôle s'est cassé la jambe et vous annoncez *Alzire* ! Et voilà !

— Et nous terminons tous la soirée à For-l'Évêque. Vous savez : la prison où l'on jette les acteurs qui jouent les pièces interdites.

L'écrivain avait tout prévu : il fallait la donner sous un nom d'emprunt. Si on lui reprochait de braver le gouvernement malgré sa lettre de cachet, il répondrait : «Ce n'est pas ma faute! J'ai changé de nom! C'est du harcèlement!» Quinault-Dufresne n'était pas convaincu par l'incognito à la Voltaire, qu'il se portât en perruque à marteaux ou en carmagnole à frou-frou.

— Si on ne sait pas qu'elle est de moi, il y a une chance qu'on la trouve bonne! plaida l'auteur.

Quinault-Dufresne la trouvait déjà très bonne, et la manière de la lui présenter plus encore.

CHAPITRE VINGT-TROISIÈME

Où Voltaire refuse d'être le jouet de la fatalité.

Après avoir remis sa pièce entre les mains des Comédiens-Français, qui la joueraient sûrement dès qu'ils auraient trouvé le courage de braver la justice, Voltaire s'empressa de retourner dormir chez les Anglaises avant l'extinction des feux. Ces dames lui demandèrent des nouvelles de son beau cousin Maupertuis.

— Ne me parlez pas de lui! dit la baronne sur le ton de Bethsabée poursuivie par la lubricité de David. Je sais de bonne source qu'il a une liaison avec une femme mariée.

— Ciel! dit la religieuse. Que de dépravation en ce monde!

— À qui le dites-vous, renchérit la veuve.

C'était l'heure de la soupe. Elle profita du feu sous les marmites pour demander qu'on lui réchauffât un lavement : ils étaient meilleurs tièdes, ça glissait mieux.

Voltaire trouva son lavement un peu gras et plein de morceaux de légumes. Il ne savait ce qui passait par la tête de ces apothicaires pour y ajouter des petits pois et des carottes émincées !

Sœur Aileine se fit à peu près la même réflexion sur la cuisine française lorsqu'elle dégusta son potage, qui avait un arrière-goût camphré.

Le lendemain, Voltaire se rendit chez Maupertuis, qu'il trouva de sombre humeur. Le savant lui tendit *Le Mercure Galant*, où ses fiançailles avec la douairière de Mâchicoulis étaient données pour imminentes.

— Mon crapaud blanc joli ! dit gaiement la petite fiancée, flattée de se voir prêter un parti si convoité.

— Bravo pour la discrétion, pesta Maupertuis.

— Je n'y suis pour rien ! À rester célibataire, vous attirez l'attention sur vous, les gens imaginent que vous courtisez toutes les beautés qui passent. Il a raison, ce rédacteur : vous devriez vous ranger avec une personne de condition qui ait la tête sur les épaules, elle saurait faire de vous un académicien honnête.

Jamais Voltaire ne risqua tant l'assassinat qu'à ce moment-là. Il s'en aperçut d'autant moins qu'il était tout à ses rêves de marches nuptiales.

— Croyez-vous que nous aurons Notre-Dame? Devrai-je porter du blanc? J'ai peur d'être boudiné.

— J'aimerais mieux épouser mon chien.

— Vous êtes d'une goujaterie incroyable! Je me demande ce que les femmes voient en vous.

— Un homme.

Voltaire se pomponnait devant tous les miroirs. Maupertuis le jugea plus ambigu que jamais.

— Cher ami, dit l'écrivain en renouant ses jarretières, un homme vraiment viril peut porter la robe sans prêter à équivoque.

La robe, peut-être, mais les cheveux bouclés sur les oreilles, les bagues, les colliers, cela passait l'équivoque.

Puisque le sujet du mariage semblait énerver le savant pour une obscure raison peut-être liée à son enfance, le détective des Lumières mit la conversation sur le thème moins controversé du meurtre par empoisonnement.

— Récapitulons les événements, nous y verrons mieux. Dans un de ces élans de générosité qui me caractérisent, je commande une poupée absolument charmante pour les bambins de Mme Duch – voyons, comment s'appellent-ils, déjà?

— Périclès et Iphigénie, suggéra Maupertuis.

— Ah, oui. Donc me voilà qui vole au secours de ma chère Émilie, je la trouve aux mains d'un aigrefin, d'un menteur, d'un suborneur, enfin, les vôtres. Sa servante finit dans les saucissons, vous échouez lamentablement à protéger notre belle amie des forces ténébreuses, je n'hésite pas à plonger dans le volcan du Châtelet pour l'en retirer, une couturière se fait mordre par une poupée, tout ça à cause d'un horloger qui semble avoir emmêlé ses aiguilles.

— Bravo, c'est beaucoup plus clair, dit Maupertuis.

Après cette ode à lui-même, Voltaire voulut bien laisser le savant exposer les faits sans y inclure les interventions du nouvel Aristote. Ils avaient débusqué une modiste qui envoyait en Allemagne les plans des troupes françaises, un fabricant de jouets dont la maisonnette habitée de poupées maléfiques reproduisait le lieu d'un drame, et une armure animée dont le passe-temps favori était de cambrioler les marquises. L'horloger était un bon candidat pour ce dernier méfait. Chaque protagoniste semblait dissimuler un terrible secret.

— C'est un phénomène courant, dit Voltaire, occupé à se dessiner une bouche pulpeuse, digne des belles sentences philosophiques qui s'en échapperaient sûrement bientôt.

Maupertuis opina du chef en contemplant le phénomène courant qu'il avait devant lui.

La cloche du porche sur la rue tintinnabula comme pour la messe de Pâques.

— Monsieur! annonça le valet. Ce sont des femmes!

— Encore! dit le mathématicien, à qui les jupons ne faisaient plus le même effet depuis qu'il avait vu la jambe de Voltaire dessous.

Un coup d'œil dans la rue lui révéla le problème. Toutes les belles personnes à qui il avait montré les mathématiques avec des gestes venaient se faire expliquer la nouvelle de ses fiançailles. On risquait un chambardement des algorithmes, elles allaient lui secouer les asymptotes.

— Je vous laisse, j'ai une enquête, dit Voltaire en rabattant sa voilette.

Linant lui fraya un passage à travers le groupe des mathématiciennes au cri de : «Laissez passer la maman du maître!» Chacune s'écarta devant sa future belle-mère.

Puisque la modiste Lapique était morte, le marchand de jouets restait le maillon faible de cette chaîne du crime. Voltaire envoya Linant acheter un surcroît de matériel nécessaire aux enquêtes philosophiques : du fard à paupières, de la crème pour rendre les cheveux brillants, avec injonction de venir le trouver au Cheval de Troie à roulettes quand il aurait fini. Puis il se dirigea d'un pas assuré vers la boutique, avec la ferme intention de convertir au culte de la Vérité ce trafiquant de poupées frauduleuses.

Le rideau intérieur était baissé mais la porte n'était pas verrouillée, la chance était avec les défenseurs du pragmatisme raisonné. Comme cela n'arrivait pas souvent néanmoins, il pénétra d'un pied précautionneux. Un sixième sens indispensable pour faire son chemin dans le monde des lettres l'incita à s'arrêter. Ce fut juste à temps pour voir une quille en bois multicolore, assez grosse pour assommer un mamamouchi, s'abattre à un cheveu de sa coiffure poudrée. Une brute, un malabar, un ogre embusqué derrière le battant avait tenté de l'envoyer dans un monde meilleur. Émilie levait à nouveau sa massue.

— Jamais je n'aurais cru qu'une physicienne pût être assommante, remarqua le philosophe.

Elle s'excusa d'avoir essayé de le frapper, elle l'avait pris pour une crapule.

— Maupertuis ne vient pas ? dit-elle en jetant un regard derrière lui.

— Son amour des courbes l'a contraint à prendre la tangente, dit Voltaire.

Ils s'enfoncèrent dans l'intérieur de l'antre aux jouets, un dédale de pièces merveilleuses peuplées de polichinelles bossus avec de gros ventres, le bicorne à l'envers, et de marionnettes à fils en forme de dames de cour aux bras articulés. Ils virent un palais indien aux murs multicolores et un autre surmonté des coupoles de Topkapi.

— Regardez! dit Voltaire. Il y a une houri qui fait la danse du ventre!

Une figurine au visage voilé, nombril découvert, montée sur billes, oscillait à la moindre sollicitation. C'était un petit tour du monde des résidences les plus somptueuses, un univers où l'on se fût installé de préférence aux couvents de bénédictines. Dans un angle, sur d'élégants carreaux couleur sang de bœuf, s'entassaient des ballons multicolores. Voltaire se remémora le temps de son enfance, quand il jouait avec son frère et sa sœur aînés. Aujourd'hui l'une était morte, l'autre enflammé par le mysticisme religieux. L'un des ballons le contemplait avec des yeux hagards.

— Une tête coupée! cria-t-il avec horreur.

— J'ai le corps! dit Émilie à quelques pas de là.

Le reste de ce qui avait été un marchand de poupées gisait par terre. Le carrelage «éruption du Vésuve » était en réalité une mare de sang. Le pauvre homme était couché aux pieds de la danseuse à l'éventail, Holopherne terrassé par une Judith en robe de bal écarlate. Une traînée indiquait que la tête avait roulé jusqu'aux ballons.

Armés d'une quille en bois, ils terminèrent l'exploration de cet Éden sanglant où, peut-être, un serpent diabolique était tapi.

Le dernier cabinet abritait la maisonnette volée chez Émilie. Les murs étaient tapissés de portraits de gens vêtus à l'identique des poupées qui l'habitaient. La ressemblance était frappante. Cette pièce était un temple voué à l'hôtel de Parolignac. Sur l'un des tableaux, un jeune homme apportait la chocolatière à un trio composé d'un couple et de sa fille. Le serviteur devait être Gépétaud dix ans plus tôt. Il avait dû servir dans cette maison, aimer mademoiselle, et puis il avait tué tout le monde. Dans ce cas, il avait beaucoup forci depuis cette époque.

Émilie tira des conclusions. Cet homme était un fou criminel, il avait empoisonné Margoton et la modiste pour protéger son secret, cette affaire était très simple dans le fond.

— Je ne crois pas à la simplicité, surtout dans le fond, dit Voltaire. La simplicité n'a pas de profondeur, elle n'est que de surface.

Et puis Émilie avait laissé de côté un problème : qui avait tué Gépétaud ? Il ne s'était pas décapité tout seul !

— Ah, oui, zut, dit la physicienne.

Un grain de sable gros comme le cadavre étendu non loin d'eux grippait sa théorie. Un curieux pantin de bois au long nez, vêtu d'une veste cerise, coiffé d'un chapeau pointu, les contemplait depuis une étagère.

— Ah, s'il était doué de parole ! dit la marquise. Il nous dirait ce qu'il a vu, lui !

Hélas ils ne pouvaient pas compter sur l'aide d'un pantin pour élucider le meurtre de M. Gépétaud.

Voltaire ne pouvait rien prouver, ne pouvait pas même révéler sa présence à Paris. Une fois encore, la police était un gage d'impunité pour les malfrats !

— Partons d'ici avant que Hérault n'arrive : il a une fâcheuse tendance à surgir après que des crimes ont été commis.

— Ah, ne m'en parlez pas, dit Émilie. Cet homme est une plaie pour les honnêtes gens !

Elle laissa la tête du marchand parmi les ballons et demanda au clandestin s'il aurait encore des poisons à lui faire distiller.

Une heure plus tard, alerté par un artisan paniqué, Hérault observait les empreintes de deux paires de souliers de femmes autour d'une flaque de sang. Il avait ignoré jusqu'alors que la décapitation fût un sport féminin. Ce marchand de jouets avait été trucidé par deux personnes du beau sexe, sans doute les mères de jeunes clients mécontents. Son enquête avançait à grands pas.

CHAPITRE VINGT-QUATRIÈME

Où l'on voit la police traquer les dames patronnesses.

Quand Linant revint avec le fard à paupières et les autres fournitures voltairiennes, son patron, installé à la table d'un mastroquet, surveillait la boutique à l'enseigne du Cheval de Troie à roulettes. L'écrivain expliqua que M. Gépétaud était mort et qu'il comptait le suivre quand il sortirait.

Ces mots firent leur chemin dans l'esprit de l'abbé lorsqu'il vit des infirmiers emporter le corps sous la garde d'un inspecteur. Un fiacre les conduisit à la Pitié, où François Quesnay, le propagandiste de la médecine légale, devait en faire l'autopsie entre deux opérations sur des patients vivants.

Peu après l'arrivée du cadavre en deux parties bien étiquetées par la police, deux ombres se faufilèrent sous le portique. C'était la veuve

Mâchicoulis et son abbé, venus visiter les malades dans le cadre des bonnes œuvres de la noblesse armoriée. Elle tenait surtout à recueillir les conclusions du médecin afin d'apprendre de quelle manière cet homme avait été exécuté, et si possible par qui.

La salle commune était une halle interminable encombrée de lits surpeuplés. L'écrivain ne prisait pas cette sorte d'établissements, la hantise d'un homme de lettres était de finir sur un grabat en compagnie de cinq personnes qui ne lui auraient pas été présentées.

— Un philosophe à l'hospice! Quelle honte ce serait pour l'humanité!

Ils firent mine de s'intéresser aux perclus. Linant priait au pied des lits, les mains jointes et la tête penchée, la baronne tamponnait n'importe quel front à l'aide de n'importe quel torchon qu'elle tenait entre deux doigts. Les religieuses de l'établissement la virent déposer sur les tables de nuit des images pieuses où la figure des saints rappelait étrangement celles d'Hérodote et d'Euclide.

Les comparses errèrent dans les corridors à la recherche de Quesnay, le fou qui cherchait la vérité à l'intérieur des cadavres. Ils demandèrent leur chemin à une sœur : c'était pour aller présenter leurs derniers hommages au cousin Xénophon, qui venait de succomber à un accident : il était tombé sur une tautologie pleine de solipsismes, avait tenté de se rattraper à la causalité, c'était le cogito qui avait tout pris. La religieuse leur indiqua l'escalier qui menait à un sous-sol éclairé par des soupiraux.

Après avoir navigué au jugé dans un dédale de couloirs déserts, ils entendirent des pas derrière eux. Ils accélérèrent. Cela accéléra. On les suivait. Sûrement, Hérault ou l'un de ses hommes les avait repérés. Voltaire tira de son aumônière une perruque et un pourpoint de secours dont il affubla Linant.

— Faites-vous passer pour moi ! Attirez-le vers la sortie pendant que je termine ici !

L'abbé doutait de la ressemblance.

— Je suis plus jeune que vous !

— Et tellement plus sot, mais ça ira quand même.

Même en perruque ancienne, l'abbé n'avait pas l'allure altière de son protecteur. Il avançait gauchement, les bras ballants. Voltaire ne parvenait pas à le faire entrer dans son personnage.

— J'ai une méthode pour motiver les acteurs, mais ça fait un peu mal.

— Mal comment ? demanda Linant.

Pygmalion lui appliqua une gifle.

— Mal comme ça.

Ébaubi et furieux, Linant s'en fut avec une énergie plus voltairienne que précédemment. La version originale attendit quelques minutes, dissimulée dans une encoignure, puis s'esquiva en sens inverse.

— Pourquoi vous cachez-vous? dit une voix dans son dos.

C'était Jean-Philippe Rameau, l'auxiliaire que la police parisienne aurait adoré compter parmi ses troupes. Voilà qui expliquait la filature. L'habit féminin n'avait pu résister longtemps à la sagacité du génie musical qui révolutionnait l'art lyrique. À force d'entendre dire qu'une dame ressemblant au philosophe comme deux gouttes de baume à clystère hantait les lieux affectionnés par ce même philosophe, Rameau avait tiré des conclusions qui embarrassaient ledit philosophe.

Celui-ci répondit qu'on lui reprochait d'avoir critiqué Pascal, cet odieux janséniste, dans l'une de ses lettres philosophiques publiées sans son accord et qu'il n'avait pas écrites. Au reste, il ne voyait pas pourquoi on lui en faisait grief :

— Très peu de gens savent que Pascal n'a jamais réellement existé, dit-il en confidence.

Ce n'était pas pour débattre de la pertinence des *Provinciales* que Rameau était venu rencontrer son librettiste en jupon dans des endroits malsains : il voulait son texte de *Samson*, promis un an plus tôt, jamais livré.

Voltaire n'était plus certain de l'opportunité d'un sujet religieux, en ce moment, avec tous ces cris contre lui. Samson et sa mâchoire d'âne[1], trahi, incarcéré, honni, cloué au pilori, pour ainsi dire brûlé devant le Parlement de Paris, cela ne lui paraissait pas un bon présage.

— Je ne voudrais pas être l'objet éternel des éternelles vengeances de l'Éternel!

Ce n'étaient pas les vengeances de l'Éternel qui guettaient le librettiste à ce moment.

— Donnez-moi *Samson*, dit Rameau, je trouverai bien quelques ânes pour nous prêter leur mâchoire.

Le librettiste tenta d'échanger les Juifs contre des Péruviens.

— À Cirey, j'ai écrit trois ou quatre mille vers, je m'ennuyais.

— Alors vous avez décidé d'ennuyer les autres.

— Prenez *Alzire*, elle est toute faite. Cela se passe chez les Incas en butte aux Espagnols.

— Nous avions dit Samson en butte aux Philistins.

---

1. Samson avait une mâchoire d'âne en guise de massue.

Rameau dut se rendre à l'évidence. Il n'avait pas de livret, bientôt il n'aurait plus de librettiste, celui-ci courait les hospices dans des costumes grotesques en attendant de croupir dans un cachot. Mieux valait accepter ce livret baroque intitulé *Les Indes galantes*[1]. Il porta un regard désabusé sur le faux-fuyant qui vérifiait son maquillage dans son face-à-main.

— Dites-moi, pourquoi mentez-vous constamment?

— Rien n'est moins supportable que la vérité, répondit Voltaire. Il faut être philosophe pour s'en accommoder. J'ai pitié des ignorants, c'est pourquoi je leur mens.

On le jugea très généreux.

Rameau disparu dans les corridors, Voltaire poursuivit sa quête de son côté. La lumière qui filtrait par les lucarnes projetait sa silhouette sur les murs. Une voix trop familière s'éleva près de la salle d'opération. Hérault venait d'apercevoir un profil aquilin qui se découpait en ombre chinoise.

— Par ici! J'ai vu un nez!

---

1. *Alzire* sera bien mise en musique, mais un siècle plus tard, par Giuseppe Verdi.

Le propriétaire de l'appendice s'enfuit dans l'autre sens, ouvrit une porte au hasard et plongea dans un réduit où était déjà Linant, qui s'y dissimulait au lieu d'attirer leur poursuivant vers la sortie. Voltaire lui fit l'exposé de la situation :

— Je suis cuit!

Le matériel dont ils disposaient dans ce placard ne laissait pas beaucoup d'alternatives. Linant enroba de bandages la précieuse tête pour la soustraire aux regards. Ils quittèrent leur abri avant qu'on ne les y découvrît, une aveugle guidée par un idiot. Le plus important était de rester digne malgré les circonstances.

— Laissez passer le lépreux! clama l'homme d'Église.

Voltaire agitait un manche à balai en faisant «ding ding» pour imiter la cloche d'alarme des contagieux, c'était un fabliau du Moyen Âge.

— Ça ne va pas mieux, Arouet, dit une voix non plus rassurante que celle de l'évêque Cauchon au procès de Jeanne d'Arc.

Voltaire avait oublié que Lucifer reconnaît toujours sa proie sous quelque déguisement qu'elle prenne.

Hérault était bien fâché de l'avoir attrapé. L'écrivain était aussi gênant insaisissable que saisi.

Il n'aurait eu garde de s'en encombrer si le marquis de Breteuil n'avait exigé sa tête.

— Donnez-lui celle du marchand de poupées, suggéra Voltaire.

Les mouchards du Châtelet avaient repéré Linant devant la boutique de jouets, on l'avait vu entrer ici en compagnie d'une dame. Hérault avait cru d'abord qu'il s'agissait d'Émilie. Il aurait préféré, elle portait mieux la toilette à volants.

— Vous allez faire de la peine à Mme Duch, prévint son prisonnier. C'est dommage, elle vous aimait beaucoup.

Sous son impassibilité d'officier du roi, Hérault avait le cœur brisé. Si faible que fût son envie d'incarcérer l'insupportable, il était coincé, ses adjoints n'auraient pas compris qu'il le laissât courir.

— Vous savez, c'est un honneur d'avoir affaire à moi personnellement, dit-il. Je ne m'intéresse pas aux petits délinquants, normalement.

Son projet était de l'expédier discrètement à Cirey. On n'avait pas besoin d'un nouveau scandale en pleine guerre de Pologne, celui provoqué par les *Lettres philosophiques* avait suffi. Et peut-être la belle Émilie verrait-elle cette demi-mesure comme une preuve d'amour, double délice.

Ils furent rejoints par François Quesnay, sorti de la salle d'opération. L'examen du corps était terminé. Voltaire, qui ne croyait ni à dieu ni à diable, ne plaçait de superstition qu'en la médecine.

— Est-il vrai que la sueur de cadavre guérit les maux de ventre ? demanda-t-il au chirurgien qui avait la main sur tant de produits bénéfiques pour sa santé.

Quesnay le regarda avec sévérité et lui interdit formellement tout prélèvement :

— Je dirige un hospice de charité, pas une pharmacie pour les tordus.

La perspective d'un séjour au cachot affolait le visiteur, il s'accrocha au pan de son habit.

— Docteur ! Sauvez-moi ! Je vais mourir !

— Et c'est une surprise ? dit Quesnay. Vous pensiez être immortel ?

— Je vais mourir bientôt !

— Lâchez ma veste, ça vous fera gagner un peu de temps.

Pour ce qui était de l'autopsie, le boutiquier avait connu un sort étrange. Il avait succombé à une décapitation infligée d'un coup unique, debout, comme l'indiquaient le sens de la coupure et les projections de sang relevées par les policiers. L'arme était une lame terriblement affûtée, effilée, maniée avec une force et une précision notables. L'assassin n'avait marqué ni peur, ni excitation. Quesnay ni Hérault, Voltaire encore moins, ne connaissaient quiconque capable de trancher un cou à la verticale avec dextérité. Ce n'était pas un bourreau, ceux-ci pratiquaient à la hache ou à l'épée sur des clients agenouillés, ni un boucher, qui n'aurait pas accompli un si beau travail, ni un chirurgien, Quesnay les avait tous vus charcuter en amphithéâtre, lui-même était loin de réussir ce prodige. Ce découpeur avait du génie.

— Nous cherchons donc un génie du crime, dit sombrement Hérault, qui n'était pas sûr d'avoir le génie de la police.

À propos de génie, il se tourna vers la personnalité controversée debout à ses côtés dans sa robe de taffetas cramoisi. Son prisonnier voulut bien lui indiquer où il en était de son enquête : il pensait que l'assassin était un facteur d'automates.

— Vous savez, ces petits lapins sauteurs et ces papillons qui battent des ailes pour l'amusement des dames et des enfants.

François Quesnay les laissa à leurs hypothèses, il avait quelques vies à sauver dans la partie de l'hospice qui ne servait pas d'annexe au commissariat. Hérault ne voyait pas le rapport entre un lapin sauteur et une décapitation exécutée de main de maître. Décidément, la lettre de cachet de M. de Breteuil était bien contrariante.

Il remarqua tout à coup qu'ils n'étaient plus que deux.

— Votre abbé n'est plus là?

— Vous le retrouverez sûrement aux cuisines, dit Voltaire.

— Je vais aller voir. Je serais bien triste que vous ne soyez plus ici à mon retour. Ce serait bien fâcheux pour l'ordre et la morale.

Voltaire se le tint pour dit. Dès que le lieutenant général eut tourné l'angle du couloir, il rabattit sa voilette, releva ses jupes et s'encourut en sens inverse aussi vite que ses souliers à talons l'y autorisaient.

CHAPITRE VINGT-CINQUIÈME

*Où l'on apprend que les chiffres trahissent
parfois les lettres.*

Voltaire était éperdu. Son signalement connu,
il ne pouvait rester en femme, il se ferait encore
plus remarquer qu'en habit masculin, ces attife-
ments le brûlaient à présent comme la tunique
de Nessus. Que faire quand le monde entier
s'écroule autour de vous, que toutes les portes
vous sont fermées, que vous êtes traqué par les
autorités et qu'on vous fuit comme la peste? Il
courut chez Maupertuis. Le savant en profite-
rait certainement pour annuler leurs fiançailles,
Voltaire avait bien senti que la perspective de
ce mariage ne lui souriait qu'à moitié. Certains
hommes ne seront jamais prêts à s'engager, lui-
même craignait fort d'en faire partie une fois ôté
ce costume.

Pour ce qui était de ce lâcheur de Linant, Voltaire ne doutait pas de le récupérer chez le physicien ou dans quelque magasin de bouche qui faisait crédit au personnel des philosophes.

Il tira le cordon de la loge. La tête enfoncée jusqu'aux sourcils dans un bonnet de tissu, la concierge écarta le rideau de sa lucarne pour découvrir de l'autre côté du carreau une personne échevelée, à la mine exaltée.

— Je viens voir M. de Maupertuis! dit Voltaire avec impatience.

« Encore une! » La brave dame comptait sur des étrennes somptuaires pour lui faire oublier le nombre phénoménal de jupes qui défilaient ici depuis deux jours.

L'écrivain releva les siennes pour gravir deux à deux l'escalier. Il pénétra en trombe dans l'appartement, dont la porte n'était pas fermée à clé. Le salon était vide. Il poursuivit jusqu'à la chambre du savant : c'était un cas de force majeure, une urgence philosophique. La pièce, vide en apparence, était meublée d'un lit à rideau où quelque chose remuait. Il y avait au moins une personne dedans, peut-être deux. L'expression sur le visage de Maupertuis quand il émergea des draps, sans perruque, sans cheveux, renforça l'hypothèse. Voltaire trouva très amusant de le surprendre en petite tenue, à coup sûr avec une invitée.

— Méfiez-vous, plaisanta-t-il. La frontière est vite franchie de l'hédoniste au sybarite !

C'était sûrement l'une des mille gourgandines qui l'assiégeaient au matin. Maupertuis avait donc fait son choix, tant mieux pour lui.

— Comment, monsieur ? feignit de s'offusquer lady Voltaire. Le jour même de nos fiançailles ?

Il voulut bien prendre l'offense avec philosophie, un homme comme lui devait savoir renoncer à son futur mari avec grandeur d'âme.

— Vous pouvez vous montrer sans peur, madame, il y a entre vous et moi la solidarité du jupon.

Ces mots n'eurent pas la portée ordinaire de sa force de conviction lorsqu'il prêchait la tolérance à un public conquis. Ces histoires d'adultère le firent penser à sa bien-aimée.

— À propos, dit-il, je crains qu'Émilie n'ait une liaison.

— Ciel, dit Maupertuis, les mains croisées sur sa poitrine velue, attendant l'orage.

— Car enfin, reprit le visiteur, c'est une femme de science, mais c'est aussi une femme : comment lui faire confiance ?

— Comment osez-vous ? dit une voix depuis l'intérieur du lit.

Saisi d'une abominable appréhension, Voltaire souleva lentement le drap. Sa belle était dessous, dans une tenue qui ne laissait guère de doute sur la cause de cette conséquence. À côté d'elle, la colère portait Maupertuis à l'ébullition.

— Allons, Pierre-Louis…, dit-elle pour l'engager à se contenir.

Pierre-Louis! Non seulement elle couchait avec un physicien pendant que Voltaire défendait la veuve et l'orphelin, les deux réunis en sa personne, mais elle l'appelait par son petit nom! Il ne lui suffisait pas de souiller le bel amour très pur que lui vouait l'écrivain, il lui fallait encore se vautrer dans une intimité révoltante et scandaleuse! Le projet de prendre la chose avec philosophie coula à pic.

— Sardanapale! Maraud! Bélître! s'écria la fiancée abandonnée.

«Ce qui est bien, quand on est une femme, songea Voltaire, c'est qu'on peut insulter beaucoup plus.» Il en profita pour remuer les tréfonds de son vocabulaire.

— Frelampier! Célestin! Bachi-bouzouk!

Émilie agrippa le mathématicien pour l'empêcher d'aller mathématiser l'insolent. Celui-ci avait les larmes aux yeux, son maquillage prenait l'eau.

— Comment avez-vous pu, madame! dit-il dans une bourrasque de dentelles.

— Il me semble que c'est plutôt à mon mari de...

— Précisément! C'est à lui que je pense! Comment osez-vous bafouer la confiance de cet homme charmant, aimant, tandis qu'il se consacre en toute sérénité à ses travaux philosophiques à l'armée, qu'il verse son encre pour son pays, qu'il défend la couronne au fil de sa plume... Les voilà, ces sans-cœur qui trompent des maris naïfs avec le premier savant venu!

— Je dirais plutôt le deuxième.

— Vous n'allez pas comparer notre relation spirituelle avec ces transports bassement charnels, dit-il en désignant le godelureau tout nu. Bancroche! ajouta-t-il à l'intention de ce dernier.

— Vous êtes un bouffon grotesque, dit celui-ci.

— Peut-être... mais dans le bon sens du terme! rétorqua Voltaire.

— Que voulez-vous! dit Émilie. Une femme a des besoins physiologiques!

— Je vous conseillerai davantage de mathématiques et moins de physiologie, dit l'écrivain.

Elle semblait décidée à défendre son libre arbitre jusque dans le lit de son professeur d'algèbre :

— Chaque femme a le droit de vivre un conte de fées au moins une fois dans sa vie!

— Dans les contes de fées, le crapaud se transforme en prince charmant ; dans la réalité, c'est le contraire ! la prévint-il.

Il se laissa tomber sur une banquette.

— Je suis consterné. Vous chagrinez votre mari : très bien ! C'est dans l'ordre des choses. Mais moi ! Votre amant ! Comment osez-vous ? Quel scandale si on l'apprenait ! Vous rendez-vous compte combien votre conduite offense la morale ?

Il étouffait d'indignation.

— D'un seul adultère vous avez fait deux cocus !

Il se tourna vers Maupertuis.

— Et vous, monsieur, vous déshonorez l'habit que vous portez.

Comme il n'en portait pas, il fallut préciser.

— Vous déshonorez l'Académie !

— Ce qui nécessite d'y avoir été élu, persifla l'impertinent.

C'était cruel. Il avait un fauteuil, il avait Émilie, il avait tout. Voltaire s'enfuit dans la pièce contiguë afin qu'elle ne le vît pas pleurer. Son rouge fondait, il était vilaine quand il pleurait.

Enveloppé dans un drap noué à la manière d'une toge, le Casanova des géomètres vint voir si l'intrus était parti. Dans une bergère, une dame très défraîchie baignait de larmes un mouchoir.

— C'est plutôt au marquis de se plaindre, insista le séducteur.

— Lui, il ne compte pas, il l'a épousée, il savait ce qu'il risquait. Mais moi! Mes sentiments étaient purs! Vous les avez piétinés! Je lui avais donné mon cœur!

— Alors là, je vous rassure…

Il faillit dire qu'il s'était intéressé à d'autres organes.

Le malheureux mit un semblant d'ordre à sa toilette et se dirigea vers le palier.

— Adieu! Je serai mieux là où je vais que là où je suis.

Dans l'escalier, il tomba sur Linant qui montait.

— Nous avons un nid de serpents à nettoyer, clama-t-il.

— Vous parlez de l'enquête?

— Je parle des deux vipères que je viens de dénicher là-haut!

Il était dans la rue qu'il se plaignait encore.

— La méconnaissance de l'être aimé est la condition nécessaire de l'amour. Nous aimons des personnes que nous ne comprenons pas. S'éprendre, c'est se méprendre.

— La marquise vous trompe? demanda Linant, qui comprenait à son propre rythme.

— Jusqu'ici elle avait la correction de me mentir !

— Je reconnais bien là la bonne éducation de Mme la marquise, dit l'abbé.

— Ah, ça, pour la bonne éducation, on peut se fier à elle.

Entre les rideaux de leur lit, les amants eurent une conversation au sujet de la bourrasque philosophique entrée et sortie avec la même incongruité.

— Il est un peu bête, non ? dit le mathématicien.

— Oui… mais avec intelligence, répondit Émilie.

Pour un scientifique comme lui, un écrivain se situait assez haut sur l'échelle des débiles légers.

— Il est plein de contradictions, il est très sain, assura la marquise. Ce sont les gens tout d'un bloc qui sont dangereux.

Trois étages plus bas, le désespoir submergeait l'homme contradictoire au point de lui rendre insupportables ses habits féminins. Il se hâta de rentrer au couvent, où les bénédictines lui demandèrent s'il assisterait à la lecture du soir, qui serait suivie d'un pieux débat sur les actes de Notre Seigneur Jésus-Christ. Excédé contre les jeunes gens qui n'en font qu'à leur tête, Voltaire s'emporta.

— En voilà encore un autre! Sa mère lui a avoué qu'il était en réalité le fils de Dieu, et hop! le voilà qui met fin à une prometteuse carrière de charpentier pour vagabonder sur les routes avec une bande de jeunes, et qui distribue des leçons à tout le monde! Il fréquente les prostituées, les épouses adultères, s'installe chez les femmes seules, contriste les bonnes gens, commet des infractions, des violences dans les lieux saints, ameute les foules, on ne sait plus comment le réinsérer dans la société, et vous avez vu de quelle manière ça a fini! Un vrai calvaire!

Après avoir livré cette version personnelle des Évangiles, il s'enferma une demi-heure dans sa chambre, dont il ressortit en vêtements masculins, au grand émoi de ces dames.

— Mme de Mâchicoulis cachait un homme!

L'idée les horrifia, même si elles ignoraient à quel point la baronne avait caché un homme. L'intrigante n'était pas près de remettre un pied dans ce couvent.

CHAPITRE VINGT-SIXIÈME

Où les philosophes touchent le fond de la misère
sans en être affectés le moins du monde.

Trois rues plus loin, sa colère retombée, la peur la remplaça. L'écrivain mesura les conséquences, non de sa folie, mais de sa lucidité : il était en culotte dans Paris, traqué par les deux ou trois cents mouches du Châtelet, nulle adresse connue de lui n'offrait de sûreté. Il osait à peine mettre un pied devant l'autre, la moindre silhouette lui paraissait une menace.

Ce fut le début de la dégringolade. À court d'idées, il s'en fut frapper chez Quinault-Dufresne. L'acteur entrouvrit sa porte. Il lui avait bien semblé reconnaître cette voix. Voltaire ! Et vêtu en homme, par-dessus le marché ! Quelle bête à scandale ! Il ne lui proposa pas d'entrer.

— Euh…, fit le visiteur, qui cherchait un moyen d'engager la conversation pour lui faire comprendre sans l'affoler que le sort de la littérature était suspendu à son hospitalité. Cher ami… Ma pièce…

Quinault-Dufresne l'interrompit. *Alzire* ne serait pas jouée de sitôt. L'apparition de ce texte un peu partout dans Paris avait donné à la police l'intuition que l'auteur n'était pas loin. Les principaux comédiens du Français avaient été interrogés, lui compris (il avait juré qu'il n'avait pas vu l'ombre du pourpoint de Voltaire, on ne lui avait rien demandé sur ses jupons). En conclusion, la maison n'était pas sûre, le tragédien n'aurait même pas dû être en train de lui parler, d'ailleurs il referma la porte.

— Dites-moi au moins où aller! implora le proscrit.

— Chez les Incas! lui répondit-on en tournant la clé dans la serrure.

Voltaire rejoignit sur la chaussée son Linant tout chargé de leurs paquets. Cette fois, ils étaient à la rue.

— Je suis désespéré. Heureusement, vous me restez!

— Oui, non, répondit l'abbé qui n'avait pas entendu, l'œil rivé sur la devanture des rôtisseries d'où s'exhalait un doux parfum de coquelets en broche.

Il y avait quelque chose de plus terrifiant que d'être à la rue dans la journée, c'était d'y être dans la nuit. Elle s'annonça aux mélodies des orgues de barbarie, aux appels des montreurs de lanternes magiques que l'on faisait monter chez soi, aux entrechocs des boîtes que remballaient les cireurs de souliers, aux cliquetis des baquets de ravaudeuses qu'on refermait. Les voitures se faisaient plus rares et les rats plus nombreux.

Au crépuscule, dans le grincement des poulies, les allumeurs commencèrent à descendre de leurs potences les six mille lanternes tenues par des cordes. Ils ouvraient l'une des six faces de verre et allumaient les trois chandelles dont des réflecteurs en fer-blanc renvoyaient la clarté. Encore s'abstenait-on les soirs de pleine lune, encore fallait-il en profiter jusqu'à dix heures, car les bougies ne brûlaient pas au-delà.

Bientôt, par intervalles, des groupes de policiers glisseraient sans bruit le long des murs sous le commandement d'un inspecteur, suivis de loin par le carrosse d'un commissaire en robe de magistrat. Ils fondraient sur les passants munis de paquets suspects, les vagabonds, les rôdeurs, les interrogeraient, les interpelleraient.

Nul cabaret n'offrait de refuge impénétrable. Ces messieurs vérifiaient aussi les registres des logeurs et contrôlaient la clientèle. Toute la nuit, les honnêtes gens pouvaient circuler ou dormir sans crainte, la police veillait, c'était une plaie pour les philosophes.

Nos compères se dirigèrent vers les berges, où les inspecteurs allaient rarement parce qu'ils s'y crottaient les bottes. Un joli égout à ciel ouvert coulait en plein Paris, on le nommait la Seine. Heureusement, c'était l'été. On apercevait le pont Notre-Dame, monceau de maisons qui se serraient les unes contre les autres pour enjamber le fleuve.

— Je suis arrivé à Paris dans un panier, j'ai passé la nuit chez Montesquieu, chez la du Deffand, chez Maupertuis, au couvent, à l'hospice, et maintenant me voilà sous un pont!

De la boue, de la boue.

— Aaah! fit Voltaire comme s'il exhalait un soupir ultime qui pourtant ne serait pas le dernier.

Des immondices partout. Dans la journée, les passants venaient se soulager en ces lieux sauvages et mêlaient l'ordure à la glaise.

— Aaah! fit Voltaire.

Ils avisèrent une cabane de bric et de broc d'où s'échappaient des ronflements, un agencement de panneaux mal joints, tout juste assez vaste pour abriter une paillasse.

— Allez, allez me prendre une chambre, dit Voltaire en fouillant sa bourse.

Il confia à Linant une grosse pièce que le propriétaire des lieux, qui n'en crut pas ses yeux, s'empressa d'aller boire au boui-boui le plus proche, ce qui leur assura un asile pour la nuit. Voltaire prit ses quartiers dans le taudis. C'était l'hôtel le plus inconfortable et le plus cher de Paris.

Quelle chute pour la philosophie ! Diogène dans son tonneau ! Au moins la police n'aurait-elle jamais l'idée de venir chercher ici l'auteur le plus coquet de la littérature française, qui haussait l'élégance littéraire à des sommets de dentelles et de bouclettes. Il n'avait même plus d'eau chaude pour prendre un lavement. Il se sentait fini.

— Je suis menacé d'une langueur, articula-t-il entre deux plaintes.

Assis au bord du grabat, Linant l'écoutait gémir. Monsieur avait sa langueur.

Le penseur distinguait entre ses larmes l'image trouble du secrétaire. Il se raccrocha à ce qu'il pouvait.

— Mon bon Linant ! Vous me soutiendrez comme l'apprenti son maître à penser ! Vous mendierez pour moi !

Deux mots de plus de ce discours et il se fût réveillé seul le lendemain.

Voltaire appréhendait de se voir chasser de la chaumière au petit matin. Cette vie de pauvreté était hors de prix. Il leur fallait des liquidités. Il connaissait un moyen de s'en procurer : le Châtelet, qui n'était pas avare de ses deniers, recevait les dénonciations à toute heure du jour ou de la nuit. L'écrivain envoya Linant le dénoncer afin de percevoir la prime. L'abbé n'aurait qu'à dire qu'il avait vu le fugitif un moment plus tôt chez Maupertuis. Les voisins confirmeraient, la gratification tomberait toute seule.

— N'oubliez pas de réclamer la prime ! lui recommanda-t-il. C'est un renseignement à 50 francs ! Au moins !

Linant devait repartir à l'aventure dans le noir sur un sol glissant. Des ombres rôdaient près du fleuve, sans doute celles de garçons de rivière, de porteurs d'eau et de mariniers.

— Au moins, si je tombe dans la Seine, il y aura quelqu'un pour m'en retirer.

— N'en croyez rien ! dit Voltaire. Il y a une gratification pour apporter les cadavres au Châtelet, mais non pour secourir les gens. Du coup, ils préfèrent attendre qu'on se noie.

272

Linant parti, il se rabattit sur la dernière ressource de son dénuement : la réflexion. Il était bien difficile de chercher les moyens de pourfendre le mal quand on était privé de tout. En premier lieu, il devait prendre garde à ne pas mourir : les restes des mécréants décédés sans confession étaient jetés à la voirie, on les enterrait dans les terrains vagues au coin des rues. Ce n'était pas le genre de sépultures qu'il imaginait : il y voulait davantage de grosses pierres, de statues, de fronton, de coupole. En bon athée, il se voyait reposer dans une église.

Au lieu de cela, il croupissait dans une baraque mal agencée, dans la bouillasse, au risque d'être balayé par la première inondation. On ne pouvait pas dire que la philosophie élevait l'homme : plus bas que lui, il n'y avait que les poissons. Un peu plus loin s'élevait un établissement de bains flottants. Un coche d'eau glissait lentement sur l'onde. Un bateau-lavoir était amarré près du pont. Dans ce monde flottant, il se sentait perdre pied.

Il entendit un bruit singulier, comme un souffle, avec des clapotis. Il se mit en mesure de se défendre par le moyen d'un gourdin – le bâton était la seule richesse du lieu.

Le bruit était causé par un Linant affolé qui revenait en se retournant tous les trois pas. Il n'était pas allé jusqu'au Châtelet, il avait été poursuivi par un troll, un monstre qui faisait des pas de géants! Voltaire se fit des reproches : il avait négligé de le nourrir toutes les trois heures, les rêves et la réalité dansaient la tarentelle sous sa calotte.

— C'est le manque de sucre, dit-il d'une voix qui se voulait compatissante.

— Je l'ai vu, vous dis-je! De mes yeux vu! Ce qui s'appelle vu!

— Je vous crois, je vous crois, vous avez vu quelque chose qui n'existe pas.

Un son très étrange lui parvint : des «bzoing!» accompagnés de «cling!». Linant poussa un petit cri, courut s'enfouir derrière de vieilles coques renversées.

Une ombre gigantesque se déplaçait par bonds, elle accourait vers le penseur. Paralysé par l'effroi, celui-ci se dit : «Ça y est. M'y voilà. Nés du hasard, nous retournons au hasard.»

La créature s'immobilisa brutalement dans un «crouiiic» horrifiant. Une personne apparue dans son dos avait introduit une branche dans ce qui ressemblait, de près, à des pièces métalliques mobiles sur lesquelles un bonhomme était juché. Émilie avait eu la présence d'esprit d'attaquer l'agresseur à son point faible : les rouages.

Ceux-ci coincés, il demeurait immobile, c'était Voltaire qui vacillait.

— Ces littéraires, petites natures, dit la marquise.

Tandis que, dans la physique, on avait du ressort.

Puisque la chose ne bougeait plus, ils virent un peu mieux ce que c'était. L'enchevêtrement se composait d'un malotru et d'une structure métallique arrimée au malotru. Voltaire reconnut dans ce scarabée caparaçonné de fer au regard furieux le facteur d'automates aperçu de loin devant sa boutique, cet horloger, ce Franquin Stanislas. Sa mâchoire prognathe lui donnait une expression décidée qu'une paire de petits yeux perçants rendait inquiétante. Sans joues, sans pommettes, sans sourcils, il était tout en verticales, comme un phasme en colère prêt à mordre. Ce corps de lames, de vis, l'agrandissait de partout, sa figure était déformée par la rage tandis qu'il s'efforçait de se dégager du bout de bois introduit dans son système de locomotion, sorte d'armure bondissante qui autorisait de très grandes enjambées.

Le bâton rompit. L'homme mécanique retrouva sa liberté de mouvement. Émilie empoigna un autre branchage échoué sur la rive, elle s'en fit une épée pour repousser l'assaut du monstre. C'était

le combat de Georgia et du dragon fumant, coui-
nant, craquant, un tableau de la Renaissance revu
par Denis Papin.

— Tenez bon! dit Voltaire. Je vais quérir du
secours!

Ce n'était pas après la marquise qu'en avait
l'engin mi-chair mi-métal. Il fit de grands sauts
sur les pas de l'écrivain, qu'une fâcheuse impul-
sion de la pensée immédiate poussait à s'enfuir à
toutes jambes. Le machin maléfique le coursait
dans d'affreux craquements métalliques. Voltaire
pataugeait sur la berge boueuse en se répétant :
«Ne pas tomber à l'eau! Ne pas tomber à l'eau!»

Pour s'en garantir, il saisit des câbles qui pen-
daient du pont. Ces cordages descendaient de
poulies qui servaient à hisser les marchandises
à hauteur de rue depuis le rivage ou depuis les
bateaux. Emporté par son élan, il décrivit un joli
arc-de-cercle par-dessus le fleuve. Dans l'obscurité, son poursuivant n'eut pas la présence d'esprit
de s'arrêter, mais s'élança droit devant lui jusque
dans l'eau noire où le courant charriait les déchets
flottants. Il apparut que cet appareillage, efficace
pour se déplacer sur la terre ferme, n'était pas
amphibie. Toute la structure, bonhomme compris, sanglé, bridé, s'immergea sous la surface. Il
y eut des clapotis, quelques bulles, puis plus rien.

Tandis que la corde ramenait l'écrivain sur la rive au terme d'une orbite parfaitement elliptique, la paix de l'esprit remplaça la fureur de l'ingénierie moderne au service du crime. Le grand horloger n'était plus en mesure de remonter.

— Sa dernière heure a sonné, dit Voltaire.

— Son tic-tac manquait de tactique, dit Émilie.

L'écrivain se jeta dans ses bras. Elle lui avait sauvé la vie.

— Vous êtes pardonnée! déclara-t-il.

Il était dégoûtant de boues gluantes, elle eût préféré qu'il lui pardonnât de loin.

— J'oublie tout! Nous ferons comme si Maupertuis n'avait jamais existé!

Émilie ne voulut pas gâcher son contentement, mais elle n'avait pas du tout renoncé au physicien. Cependant, ce n'était pas parce qu'elle était amoureuse d'un savant qu'elle comptait laisser son cher auteur se faire découper par une poupée tueuse, on était une femme de principes en plus d'avoir des sentiments.

Au vrai, Maupertuis ne remplissait pas toutes ses attentes en matière scientifique et amoureuse. Il ne voulait pas aller voir des autopsies. Il n'était pas disponible pour faire jaillir la Vérité des lieux les plus inattendus. Il n'égrenait pas de jolies sentences, et on savait toujours comment il serait habillé le lendemain. En définitive, Maupertuis était moins bien que Voltaire dans le rôle de Voltaire. Son seul rêve était d'explorer le grand Nord pour vérifier que la terre est bien aplatie aux pôles, comme le prétendait Cassini, le plus grand géographe de leur temps.

Voltaire se promettait de lui aplatir le pôle à coup de tout ce qui lui tomberait sous la main, ses traités algébriques, ses instruments de géométrie, sans besoin de monter une expédition pour le grand Nord.

Il fallut retrouver et ranimer Linant, évanoui de terreur.

— Il n'a pas reçu assez de coups, dit Voltaire, il a encore peur du bâton.

Lui-même voulut retourner dans la cabane ramasser ses petites affaires.

— Mon Locke! Mon Locke[1]!

— Hâtez-vous! lui cria Émilie. On s'occupera de vos loques plus tard!

Comme ils regagnaient la civilisation et ses rues pavées, elle expliqua par quel prodige elle l'avait retrouvé dans ce cloaque. Prise de remords après la scène totalement injuste qu'il avait faite chez

---

1. John Locke, 1632-1702, précurseur des Lumières, auteur d'une *Lettre sur la tolérance*.

Maupertuis, elle s'était d'abord rendue chez les bénédictines, qui n'étaient pas remises de l'avoir vu sans robe. Elle avait fait un saut au Châtelet pour vérifier qu'il ne gémissait pas dans quelque geôle, puis, passant en voiture le long des berges, elle avait aperçu un gros bonhomme poursuivi par une ombre sauteuse. Elle y avait vu le signe que la philosophie allait avoir besoin des secours de la subtilité féminine.

Voltaire acheva de lui pardonner tout.

— Que serais-je sans vous ! s'exclama-t-il.

De toute évidence, un cadavre sur un tas de boue, mais elle eut la charité de se taire.

Où l'on dénonce les périls de la danse de salon.

Ce n'était pas assez que d'avoir déboulonné leur agresseur, ils voulurent sceller l'affaire. Il ne manquait plus, pour la résolution de cette énigme, que de fournir à Hérault des preuves susceptibles d'avoir un effet positif sur l'avenir de la raison. Comme l'assassin et son instrument avaient fini dans le lit du fleuve, ces preuves n'existaient plus que dans son antre garni de pièges. C'était le moment d'avoir le discours et la méthode.

Ils se rendirent à l'atelier du canard volant sans attendre le matin. Comme ils stationnaient sous l'enseigne, celle-ci battit des ailes et fit « coin coin ». Un mouchard posté devant l'hôtel de Parolignac fila au pas de course prévenir son maître que la souris était dans la trappe. Avant de se déplacer, les autorités devraient d'abord troquer chemise et pantoufles pour une tenue protocolaire plus adaptée : le trio avait une heure pour rassembler ses arguments, ce serait quitte ou double.

Ils traversèrent la salle des montres et passèrent dans la suivante. Des yeux de verre que la lueur de la lune animait les scrutaient dans la pénombre. C'étaient de longs mannequins désarticulés, dotés de mains fines et blanches, mais dont les bras étaient en fil de fer ; aux faces proches des nôtres, mais au regard fixe et sans aménité ; vêtus d'habits impeccablement propres et repassés comme il est impossible de les garder quand on est vivant, qu'on bouge et qu'on respire, quand on est une créature imparfaite dont le cœur palpite ; des êtres qui nous ressemblaient mais qui ne nous montraient aucun signe d'amitié, avec quelque chose d'humain et d'inhumain qui rendait ce mélange inquiétant. Ces objets dangereux possédaient dans le dos de grandes clés pour les remonter, ce qu'on n'avait nulle envie de faire.

Ils virent une femme nue en cire dont l'abdomen s'ouvrait. À l'intérieur, les organes étaient disposés comme il se doit, à l'imitation de la nature. Elle avait même un fœtus dans les parties de la reproduction. C'était une Ève anatomique.

Ils remuèrent ce fatras à la recherche des preuves qui démontreraient que Voltaire avait œuvré pour le triomphe de la morale publique.

— Il va falloir de grosses preuves, dit Émilie.

Quel avait été le but de ce mécaniste? Quel secret s'était-il acharné à protéger au prix de tant de crimes? Convaincu que les automates restaient dangereux après la disparition de leur créateur, Linant, armé d'un balai, s'approchait de chacune de ces horreurs, écureuil joueur de tambour, souris à roulette, et la renversait d'un petit coup sec pour s'assurer qu'elle n'allait pas leur sauter au visage toutes griffes dehors.

Les tréfonds de cet atelier étaient un festival d'activités délictueuses. L'arrière-salle abritait l'armure grâce à laquelle Stanislas Franquin avait réduit en miettes la porte de la marquise et repris la maison de poupées. Sa noyade était une perte pour l'armement militaire, mais peut-être un bienfait pour une humanité qui s'étripait très volontiers avec ce dont elle disposait déjà.

Ils découvrirent un tiroir à fermeture qu'ils eurent envie d'ouvrir.

— Il faudrait forcer délicatement cette serrure à l'aide d'un passe, dit Émilie. Si vous me trouviez une baguette en fer assez fine, je devrais pouvoir la tordre...

Ils s'écartèrent juste à temps pour laisser l'abbé, armé d'une hache, fondre avec un cri de guerre sur le tiroir, qu'il fendit de telle manière que la serrure sauta en l'air.

— Ou alors on peut tout casser, conclut Voltaire.

Le meuble contenait plusieurs papiers en provenance de cette baronnie menacée par la guerre de succession de Pologne. Thunder-ten-tronckh était un foyer d'agitation anti-française. Elle avait financé un petit réseau d'espionnage : la modiste faisait traverser les frontières aux plans militaires à l'intérieur des poupées publicitaires fabriquées par le marchand de jouets.

Ils virent, pendue au mur, une sorte d'arbalète améliorée qui pouvait bien être l'arme du massacre de l'hôtel de Parolignac. Sur un autre était accroché un portrait de Franquin plus jeune; on ne pouvait s'y tromper, ses yeux étaient les mêmes. Ils reconnurent le valet qui, sur le portrait de groupe, apportait le chocolat à la famille de Parolignac. C'était lui qui était tombé amoureux de la demoiselle, qui avait assassiné le père, puis le reste de la famille, par le moyen d'une invention imparable. Plus tard, il avait fait reproduire les lieux de son crime, qui l'obsédaient. Sans doute avait-il tué la couturière parce qu'elle était devenue gênante, et

le marchand Gépétaud pour avoir égaré la maisonnette, qu'il avait dû reprendre lui-même chez
la marquise.

— Certes, bien, mais pourquoi? dit Voltaire.
Quelle est la raison première de cette conséquence?

Émilie eut envie de répondre que la raison première de cet olibrius avait dû sombrer depuis
longtemps dans la graisse à pistons.

Voltaire pressentait derrière toutes ces activités un grand but encore ignoré d'eux qui excitait
son imagination autant qu'il l'affolait. Lui-même
n'entreprenait jamais rien sans viser un objectif
d'une haute et puissante portée : le bonheur de
l'humanité, l'amélioration de la société, la dénonciation des abus, l'adoption des doublures en
lapin dans la fabrication des bonnets de nuit à
pompon...

Ils furent surpris de trouver ici la danseuse
grandeur nature de M. Gépétaud, qu'ils avaient
vue dans la boutique de jouets. Cette demoiselle
se déplaçait beaucoup, on ne la tenait plus, elle les
précédait partout. C'est bien le même mannequin
coiffé à la mode et vêtu d'une robe «framboise
écrasée».

Alors Émilie comprit. Elle revit en souvenir
les poupées décapitées qu'elle ramassait dans

son boudoir, et le corps de M. Gépétaud couché aux pieds de celle-ci. La danseuse était le grand modèle dont la figurine de la maisonnette était la réduction. Toutes deux s'en prenaient à leurs partenaires : la poupée décapitait des pantins, et le mannequin... des hommes.

— Il suffit de préparer le mécanisme à l'avance et l'assassinat se commet tout seul, conclut-elle.

Voltaire tapota prudemment l'épaule de l'automate.

— Cet horloger a automatisé le meurtre.

La marquise pria Linant de remonter le ressort en prenant garde de ne pas la déclencher; c'était la personne à qui confier cette tâche, sa tête ne risquait rien, le siège de sa pensée était dans l'estomac.

En juin, le maréchal de Berwick avait eu la sienne emportée par un boulet pendant une revue. L'événement avait dû donner l'idée à l'ingénieur. Sans doute visait-il la décapitation de quelque général pour assurer la défaite des armées françaises.

C'était là une enquête rondement menée. Il n'était pas né, le mécanicien qui enrayerait les rouages de la pensée voltairienne!

Ils trouvèrent dans le tiroir la facture du marquis de Breteuil pour une grande poupée à livrer à Versailles. Sans doute cette affaire de maisonnette égarée, dans laquelle Émilie était compromise, lui avait-elle donné l'idée de parader devant Leurs Majestés. La présentation de l'automate aurait impressionné le roi, Breteuil aurait pu espérer rentrer en faveur. À quoi tenait un portefeuille de secrétaire d'État? À un bon mot, un cadeau, un conseil utile… Enfin, grâce à eux, cet imbécile n'introduirait pas à la cour une poupée déjà coupable d'un meurtre au moins.

Le temps nécessaire aux policiers pour se mettre en tenue avait dû s'écouler, car la rue fut investie avec une discrétion de sabots ferrés, de roues cerclées et de semelles de bois. René Hérault surgit dans l'atelier à la tête de ses hommes et pointa le doigt sur le philosophe, pris en flagrant délit d'invasion d'un commerce privé et du territoire français. Ce qui l'énervait le plus, c'était de voir que le monte-en-l'air avait entraîné une fois encore la belle marquise dans les exactions coutumières aux propagandistes de la réflexion.

— Cette fois, je ne peux plus rien pour vous, Arouet, dit-il sur le ton d'une oraison funèbre, vous êtes allé trop loin.

Le penseur voulut lui exposer le mystère de la danseuse macabre.

— Je ne suis pas là pour écouter vos calembredaines et vos billevesées! clama le policier en

claquant des doigts pour qu'on apporte les pou-
cettes.

Voltaire croyait à la pédagogie par l'exemple.
Comme Linant avait remonté l'instrument d'horreur et d'agonie, il débloqua le ressort et engagea
tout le monde à reculer de plusieurs pas autour
de la danseuse : cette monstruosité allait tenter de
trancher la tête la plus proche. Ils allaient voir à
quoi l'état-major avait échappé grâce à eux.

— Et hop! Regardez!

Sans cesser de sourire de toute sa peinture et de
tous ses fards, le mannequin exécuta un charmant
menuet au son d'une boîte à musique camouflée
dans son dos, puis fit la révérence et s'immobilisa
dans un dernier hoquet. Un long moment passa.

— Je suis très impressionné, dit Hérault. Allez,
en prison, maintenant.

Ils restèrent interdits. Voltaire n'en revenait pas.
Même les poupées s'ingéniaient à le contredire! Il
avait dû appuyer sur le mauvais bouton. Il n'y en
avait pas d'autre. Comment cela se pouvait-il? Le
grand horloger avait-il modifié sa créature pour
se disculper? Il se mit à la secouer, Émilie dut le
raisonner, il oubliait que cette ballerine était une
arme mortelle.

Ou peut-être ne l'était-elle pas. Les yeux de
la marquise se posèrent sur la robe. Celle de la

danseuse qu'ils avaient vue dans la boutique de jouets était de la nuance «coup de soleil sur une blonde» – elle se souvenait avoir noté que c'était commode, les taches de sang ne s'y remarquaient pas. Celle-ci était plutôt «joues de jeune fille prise à mentir», un coloris pas si bien adapté au meurtre, au menuet et à l'ignominie.

Ils durent se rendre à l'évidence : cette poupée n'avait tué personne, elle était innocente des crimes dont ils l'avaient accusée.

— Mais alors? dit Voltaire, en qui l'horreur de la situation se faisait jour progressivement.

— Alors, dit Émilie, il y a deux danseuses. Marie la Gentille et Marie la Sanglante. L'autre a été achetée. Et livrée.

Ils venaient de voir le bon de commande. Le cousin Breteuil l'avait acquise. Pour l'offrir à Leurs Majestés. Le roi aurait l'honneur de la première danse. Le dessein du grand horloger était en train de s'accomplir.

Le ciel blanchissait à travers les fenêtres de l'atelier. Émilie conjura René Hérault de courir à Versailles pour empêcher l'attentat. Le policier n'avait pas bien compris pourquoi le fait qu'un automate ait dansé le menuet signifiait qu'il devait faire la route de Versailles et déranger Louis XV.

Le lieutenant général de Paris dépendait directement du roi. Lui seul, par ses fonctions, avait une chance d'accéder au monarque. Quand il eut compris ce qui allait se produire, Hérault s'écria, affolé :

— L'écartèlement, Arouet! La roue n'est pas assez pour vous! Ce sera l'écartèlement entre quatre chevaux!

Pour l'heure, les quatre chevaux dont on avait besoin étaient ceux qui tiraient la voiture de police. Tout le monde s'y engouffra. On se laissa ballotter jusqu'au château, situé à une heure de Paris en roulant bon train.

— Dites-moi, ils ne sont pas bien suspendus, ces véhicules, nota Voltaire.

— C'est pourquoi on les surnomme des paniers à salade, dit Hérault. Je vous ferai voir nos geôles, elles ne sont pas confortables non plus.

Ce qu'il aurait aimé voir bien suspendu, c'était ce corps malingre, à un gibet de la place de Grève.

Quand ils atteignirent la résidence royale, une petite foule de serviteurs en différentes livrées, de dames, de soldats et de courtisans se pressaient déjà autour du bâtiment. Seuls les carrosses des nobles présentés pouvaient accéder à la première cour. Hérault cria : «Police! Service du roi!» À la deuxième grille, il fallut descendre : les princes du sang et les ambassadeurs avaient le privilège de rouler au-delà, nulle catastrophe n'était un motif suffisant pour braver le protocole instauré par le Roi-Soleil.

Ils coururent. Parvenus à l'œil-de-bœuf, Hérault écourta les formalités.

— Ils sont avec moi ! Même le petit, là !

Un suisse lui apprit que le roi n'était plus dans ses appartements. Hérault fonça chez la reine.

Voltaire, qui n'avait pas les entrées, dut s'arrêter à la porte, il demeura dans la galerie des Glaces. L'huissier de l'antichambre barra la route à la marquise qui, bien qu'ayant les entrées, n'était pas en robe de cour, ce qui contrevenait à l'étiquette. Le lieutenant général s'efforça de presser le pas discrètement, car on ne courait pas plus sur les parquets de Versailles qu'on ne riait dans une église.

Dans le salon de la Paix, Breteuil décrivait les miracles de la science appliquée devant la reine, ses dames et le roi, qui tenait la main de la danseuse automatique en robe écarlate comme s'il se fût agi d'une véritable duchesse. Hérault cria pour interrompre in extremis la démonstration sur le point de débuter. Il plongea sur la poupée, lui ramena les poignets l'un contre l'autre et leur passa les menottes sans ménagement.

Louis XV était perplexe.

— Dites-moi, monsieur Hérault, n'auriez-vous pas besoin de repos ?

Le marquis de Breteuil était plus carmin que la robe. On l'avait bousculé au moment de son triomphe. Il croyait déjà sentir le cuir en veau de son portefeuille ministériel.

— Vous perdez la tête, Hérault ! s'écria l'ancien ministre.

Il ne restait plus au lieutenant général qu'à montrer ce qui avait été sur le point de s'accomplir. Il fit apporter de la pièce contiguë un mannequin en tissu rempli de son, dont les couturières se servaient pour reprendre les robes de la souveraine, et le fit placer à côté de la danseuse. Il ôta les liens qui l'entravaient et pressa la manette dans le dos. La musique joua, la charmante exécuta son menuet avec une grâce admirable, Breteuil jubilait. Puis, une note stridente remplaça les arpèges, c'était l'hallali. L'éventail se déploya en épée, la poupée conclut ses pirouettes par un mouvement qui n'était pas une révérence, la tête du mannequin de son roula aux pieds de Leurs Majestés, et Breteuil s'évanouit dans les jupes des dames d'atour.

— Très ingénieuse, cette machine à couper les asperges ! dit Louis XV, qui s'intéressait fort aux progrès techniques. Mais pourquoi l'avoir vêtue d'une robe de bal?

Hérault expliqua que l'automate tranchait trop haut, c'était une erreur de réglage, il le fit emporter pour révision, et M. de Breteuil pour réanimation.

*Où les choses retrouvent leur juste place
dans un monde plein de mirabelles.*

Chez la marquise, Voltaire prit un grand bain qui n'avait rien d'un luxe. En femme moderne, elle disposait de tout le confort imaginable : sa propre cuve pour les ablutions, un seau muni d'une anse commode, un personnel doté de bonnes jambes qui vous apportait l'eau chaude à l'étage tous les quarts d'heure. Pour se prouver qu'ils étaient parfaitement réconciliés, ils se frottèrent le dos réciproquement avec une brosse en poil de loutre.

Chacun avait décidé d'accepter l'autre tel qu'il était. Les hommes ont leurs secrets, les femmes ont leur mystère, il faut accepter que les hommes ne disent pas tout et que les femmes leur soient incompréhensibles, sinon on ne peut vivre ensemble : les hommes s'en vont et les femmes ne les retiennent pas.

Une servante les prévint que le lieutenant général des ténèbres était à la porte. Émilie exhorta Voltaire à la réconciliation. Le philosophe y voyait un obstacle insurmontable :

— Cet homme n'entend pas la littérature. Il est sourd de cette oreille-là.

Il s'en vint parader dans la robe de chambre trop grande de M. du Châtelet, pour la plus grande irritation du visiteur. Heureusement, Hérault ne pratiquait pas la police des robes de chambre, juste celle des alcôves.

Des documents politiques saisis au domicile de l'horloger établissaient le mobile de l'attentat : supprimer l'absolutisme et instaurer le règne de la raison dans la tolérance universelle.

Voltaire eut un malaise. S'il avait su! Il avait empêché un progrès auquel tout son être aspirait! Et pour sauver un autocrate qui ne l'appréciait même pas! À mieux y réfléchir, il doutait que la violence entraînât jamais dans son sillage la paix, l'ordre et la liberté : on ne pouvait faire confiance à la violence pour susciter autre chose qu'elle-même.

— Bah! De toute façon, l'assassinat d'un souverain fait toujours le jeu d'un autre pire que lui.

Je suis pour les révolutions en douceur, celles qui n'existent pas.

— Sauf en Angleterre, dit Émilie.

— Voilà. Le monde entier devrait être anglais. On s'y porterait mieux.

— Mais on y mangerait mal.

Il allait falloir choisir entre la démocratie et le coq au vin.

De toute façon, il n'aurait pas été séant qu'un roi finît décapité, ce n'était pas une mort pour un monarque.

— On commence par décapiter les rois, et ensuite? Qui sait si on ne finirait pas par s'en prendre aux philosophes, qui sont gens si précieux!

Hérault était venu transmettre les mesures de gratitude prises à l'intention du héros. Celui-ci s'installa confortablement pour savourer l'ampleur de la royale reconnaissance.

— Vous avez fait l'objet de l'ordre du jour au Conseil du roi, dit le policier.

Voltaire en fut ravi, enfin on s'occupait de philosophie dans les hautes sphères!

— Le Conseil a consacré cinq bonnes minutes à votre cas.

Le garde des Sceaux estimait qu'il était une maladie contagieuse qu'il fallait circonscrire, il proposait de déployer un cordon sanitaire autour de la Lorraine. Breteuil fulminait dans les corridors de Versailles, il aurait voulu lui infliger ce que la poupée faisait à ses danseurs. Nonobstant, le ministre de la maison du roi, chargé de maintenir l'ordre, prêchait la clémence : il aurait été bien embarrassé si Sa Majesté avait été décapitée, toute la faute en serait retombée sur lui.

— Le cardinal a tranché, dit Hérault.

Le Premier ministre avait opté pour une attitude de circonspection bienveillante qui faisait tout le fond de sa politique. On pardonnait au fugitif, mais on l'envoyait se mettre au vert en attendant qu'un délai décent fît oublier la publication des *Lettres philosophiques*, disons un an après cet événement fâcheux. Il serait donc de retour pour avril ou mai.

Voltaire encaissa la nouvelle.

— C'est la saison des prunes, ce sera dommage de quitter la Lorraine, je ne sais pas si je ne vais pas m'installer là-bas, on y est au bon air. Enfin, c'est bien gentil à Sa Majesté, je vais considérer son offre, vous la remercierez pour moi.

— Certainement pas.

— Enfin, s'il plaît à Sa Majesté, je serai de retour pour mars.

— Avril ou mai, répéta Hérault, sec comme un coup d'horloge.

Voltaire regrettait que la poupée n'eût pas coupé un bout du roi, peut-être eût-on accepté son retour dès la Noël.

— Le gouvernement veut laisser croire que vous n'êtes jamais venu à Paris, dit Hérault.

L'idéal aurait même été qu'il n'ait jamais existé. De son point de vue, le philosophe se jetait lui-même dans les déboires, il l'avait bien cherché.

— Pourquoi ne cessez-vous pas de produire cette littérature inutile?

— L'art est inutile mais il est indispensable, répondit Voltaire.

Décidément, la police était un bâton sans maître qui servait le bien ou le mal selon la main qui le tenait.

Hérault lui conseilla d'obéir. Avec un peu de chance, dans quelque temps on l'aurait oublié, il serait passé de mode. Cette idée offusqua l'écrivain.

— Passé de mode? Seul le talent est indémodable!

Il se résigna à repartir pour Cirey, à laisser Émilie vivre sa vie. Il avait mûri, il acceptait l'idée qu'elle ne lui appartenait pas. Au reste, il se reposait sur l'espoir que Maupertuis se lasserait de leur relation, ils avaient trop de qualités en commun pour s'accorder, il y avait là un malentendu de part et d'autre : plus on se ressemble, plus on ne voit que ses différences.

Il lui parut tout à coup qu'on était injuste avec ce bon géomètre. Il insista sur l'aide que cet homme lui avait apportée. Pour le récompenser, le gouvernement serait bien avisé de financer cette expédition dans le grand Nord que le savant voulait préparer. Il recommanda d'inscrire cela au prochain Conseil.

— Je la financerai moi-même si vous l'accompagnez chez les ours, dit Hérault.

Voltaire décida d'emmener Linant à Cirey, il aiderait à cueillir les mirabelles.

— Plaignez-moi. Tout ce qu'il comprend à la philosophie, c'est Épicure.

Émilie ne voyait toujours pas pourquoi il s'embarrassait d'un imbécile.

— Hélas, dit Voltaire, je pense qu'il existe trois trésors qu'un sage ne peut convoiter qu'en vain : la jeunesse, la beauté et la bêtise. La dernière est la plus précieuse, car la plus durable. J'envie l'abbé Linant.

Il lui conseilla de faire comme lui, de se trouver quelqu'un dont la sottise la reposerait.

— Je n'ai pas de temps pour la sottise, dit Émilie, j'en ai déjà trop peu pour l'intelligence !

Les serviteurs apportaient les bagages de monsieur – ceux qui avaient survécu à son périple sur le pavé parisien. Il se consolait de son départ en songeant à quelques menus projets d'aménagement de la chaumière prêtée par les du Châtelet.

— Connaissez-vous une bonne carrière de pierres, dans les environs? Une qui ferait des prix de gros?

Sur le perron, il embrassa une dernière fois sa muse.

— Adieu, ma bonne. Je vous laisse (il pensa «aux mains du diable») sous l'œil de quelqu'un qui vous aime.

Il étreignit Hérault dans la foulée – un ouistiti sur le tronc d'un baobab.

— Prenez soin d'elle. Protégez-la des méchants!

«Maupertuis», chuchota-t-il.

Tandis que Voltaire roulait vers la Lorraine, Émilie écrasait une larme – elle ne devait pas avoir les yeux rouges lorsqu'elle se présenterait chez le savant pour s'y faire consoler –, et René Hérault calculait le montant de l'augmentation qu'il allait demander à son ministre pour compenser la voltairisation chronique de sa bonne humeur.

VOLTAIRE À L'ÉTÉ 1734

Je suis bien étonné de n'avoir reçu aucune lettre de M. Linant depuis qu'il a quitté le petit ermitage[1] dont l'ermite était proscrit. Il me semble que c'est pousser la paresse bien loin que de ne pas daigner, en trois mois, écrire un mot à quelqu'un à qui il devait un peu de souvenir. Mais je lui pardonne si jamais il fait quelque bon ouvrage. Écrivez-moi, mon cher, ne soyez pas si paresseux que le gros Linant.

Voltaire, *Correspondance*

Je serais très fâché d'être obligé de passer ma vie hors de France ; mais je serais aussi très fâché qu'on crût que j'y suis, et surtout qu'on sût où je suis. Je me recommande sur cela à votre tendre et sage amitié. Dites bien à tout le monde que je suis à présent en Lorraine.

Voltaire, lettre au comte d'Argental

---

1. C'est-à-dire le domicile parisien de Voltaire.

Mais, s'il vous plaît, quel si grand mal trouve-riez-vous si on allait dans un faubourg passer huit jours sans paraître ? On y souperait avec vous, on serait caché comme un trésor, et on décamperait de son trou à la première alarme. On a des affaires, après tout ; il faut y mettre ordre, et ne pas s'exposer à voir tout d'un coup sa petite fortune au diable.

Voltaire, idem

On a été tout renverser dans ma maison à Paris, on a saisi une petite armoire où étaient mes papiers et toute ma fortune ; on l'a portée chez le lieutenant de police ; elle s'est ouverte en chemin, et tout a été au pillage.

Voltaire, lettre à M. de Cideville

Avez-vous lu le petit, trop petit livre écrit par Montesquieu sur la décadence de l'Empire ? On le nomme la décadence de Montesquieu. Il est vrai que ce livre est très loin d'être ce qu'il devrait être ; mais cependant il contient beaucoup de choses qui méritent d'être lues, et c'est ce qui me fâche encore plus contre l'auteur, qui a traité si légèrement une matière si importante.

Voltaire, Correspondance

Montesquieu voit à l'époque en Voltaire – et ce qu'il écrira sur lui par la suite montrera la constance de ses sentiments à son égard – non l'auteur justement fêté de la tragédie *Œdipe*, écrite à vingt-quatre ans, mais un petit personnage impertinent.

Pierre Gascar, *Montesquieu*

Vaucanson composa, pour une chapelle d'enfant, de petits anges qui agitaient leurs ailes, des prêtres automates qui imitaient quelques fonctions ecclésiastiques. Il eut l'idée d'une statue qui jouerait des airs de flûte. Aux premiers sons que le flûteur rendit, le domestique de Vaucanson tomba aux genoux de son maître. On vit aussi deux canards qui barbotaient, allaient chercher le grain, le saisissaient dans l'auge et l'avalaient.

Biographie universelle Michaud, 1811

Je me suis trouvé plusieurs fois parmi les courtisans. À la variété et à la volubilité des mouvements de leur tête, de leurs épaules, de leurs hanches, en un mot de tout leur corps, on les prendrait pour des machines à ressort, et à leurs habillements pour des baladins qui répètent des scènes pour l'amusement du public.

Toussaint, *Anecdotes*

L'amitié dont m'honore Mme du Châtelet ne s'est point démentie dans cette occasion. Son esprit est digne de vous et de M. de Maupertuis, et son cœur est digne de son esprit. Elle rend de bons offices à ses amis, avec la même vivacité qu'elle a appris les langues et la géométrie ; et quand elle a rendu tous les services imaginables, elle croit n'avoir rien fait ; comme, avec son esprit et ses lumières, elle croit ne savoir rien et ignore si elle a de l'esprit. Soyez-lui bien attachés, vous et M. de Maupertuis, et soyons toute notre vie ses admirateurs et ses amis.

Voltaire, lettre à M. de La Condamine

Malheur à la raison si elle ne badine quelquefois avec l'imagination. Il y a une dame à Paris qui se nomme Émilie, et qui, en imagination et en raison, l'emporte sur des gens qui se piquent de l'une et de l'autre. Elle entend Locke bien mieux que moi.

Voltaire, lettre à M. Formont

Vous êtes très bien avec Mme du Châtelet, mais vous le serez encore mieux quand elle viendra dans son château. Permettez-moi de vous prier d'entretenir la bonne volonté qu'on a pour moi à la Neufville. À l'égard de celle de ma femme, je m'en remets à la providence et à la patience du cocu.

Voltaire, lettre à Mme de La Neufville

Mme du Châtelet et Voltaire, qui s'étaient annoncés pour aujourd'hui, parurent hier sur le minuit, comme deux spectres, avec une odeur de corps embaumés qu'ils semblaient avoir apportée de leurs tombeaux. On sortait de table ; c'étaient pourtant des spectres affamés : il leur fallut un souper, et, qui plus est, des lits qui n'étaient point préparés. La concierge, déjà couchée, se leva à grande hâte. M. Gaya, qui avait offert son logement pour les cas pressants, fut forcé de le céder dans celui-ci, déménagea avec autant de précipitation et de déplaisir qu'une armée surprise dans son camp, laissant une partie de son bagage au pouvoir de l'ennemi. Voltaire s'est bien trouvé du gîte ; cela n'a point du tout consolé Gaya. Pour la dame, son lit ne s'est pas trouvé bien fait, il a fallu la déloger aujourd'hui. Notez que ce lit, elle l'avait fait elle-même, faute de gens, et avait trouvé un défaut dans les matelas, ce qui, je crois, a plus blessé son esprit exact que son corps peu délicat.

Nos revenants ne se montrent point de jour. Ils apparurent hier à dix heures du soir. Je ne pense pas qu'on les voie guère plus tôt aujourd'hui : l'un est à décrire de hauts faits, l'autre à commenter Newton. Ils ne veulent ni jouer ni se promener. Ce sont bien des non-valeurs dans une société, où leurs doctes écrits ne sont d'aucun rapport.

Mme du Châtelet est d'hier à son troisième logement. Elle ne pouvait plus supporter celui qu'elle avait choisi, il y avait du bruit, de la fumée sans feu (il me semble que c'est son emblème). Le bruit, ce n'est pas la nuit qu'il l'incommode, à ce qu'elle m'a dit, mais le jour, au fort de son travail : cela dérange ses idées. Elle fait actuellement la revue de ses *Principes*. Elle préfère le bon air de cette occupation à tout amusement, et persiste à ne se montrer qu'à la nuit close.

Voltaire a fait des vers galants qui réparent un peu le mauvais effet de leur conduite inusitée.

Nos nouveaux hôtes ont fait jouer leur comédie. Mme du Châtelet a fait Mlle de La Cochonnière, qui devrait être grosse et courte. La principale actrice, préférant les intérêts de sa figure à ceux de la pièce, a paru sur le théâtre avec tout l'éclat et l'élégante parure d'une dame de la cour. Elle a eu sur ce point maille à partir avec Voltaire.

Le lendemain du départ, je reçois une lettre de quatre pages qui m'annonce un grand désarroi. M. de Voltaire a égaré sa pièce, oublié de reprendre les rôles, et perdu le prologue. Il m'est enjoint de retrouver le tout, d'envoyer au plus vite le prologue, non par la poste, *parce qu'on le copierait*, de garder les rôles, crainte du même accident, et d'enfermer la pièce *sous cent clefs*. J'aurais cru un loquet suffisant pour garder ce trésor!

Mme de Staal, lettre à Mme du Deffand

L'archevêque de Paris, qui aimait passionnément les femmes, et qui n'aimait pas les philosophes, se plaignit amèrement, et Voltaire eut ordre de se rendre chez Hérault, lieutenant général de police. Il se défendit en disant que son livre était de Chaulieu. Ce mensonge ne faisait aucun tort à la mémoire du défunt. Le magistrat feignit de croire Voltaire, mais observa qu'en police il y a souvent quelque inconvénient à prendre le nom d'un autre. Voltaire, à son tour, feint de ne rien entendre à l'observation et lui demande : «Que fait-on à ceux qui fabriquent de fausses lettres de cachet?» «Mais on les pend», répond le magistrat. «C'est très bien fait, réplique Voltaire. Et il faudrait en faire autant à tous ceux qui en signent de vraies.»

Théophile Duvernet, *La Vie de Voltaire*

Je suis fait pour être la victime de la calomnie et de la bêtise. Mais par la règle des contraires, il faut que je sois défendu par vous.

Voltaire, *Correspondance*

REPÈRES BIOGRAPHIQUES

1694 Naissance de François-Marie Arouet à Paris.

1704 François-Marie perd sa mère. Il entre chez les Jésuites de Louis-le-Grand. Ninon de Lenclos lui lègue mille francs pour acheter des livres.

1706 Naissance d'Émilie Le Tonnelier de Breteuil.

1717 Premier séjour à la Bastille.

1718 Succès d'*Œdipe* au théâtre.

1719 François-Marie Arouet prend le nom de Voltaire.

1721 Il tire profit de la débâcle du Système de Law.

1722 Mort de M. Arouet père.

1726 Voltaire est bastonné sur ordre du chevalier de Rohan. Second séjour à la Bastille. Exil en Angleterre.

1731 La police saisit l'*Histoire de Charles XII*. Voltaire s'installe chez Mme de Fontaine-Martel.

1732 Succès triomphal de sa tragédie *Zaïre*.

1733 Mort de Mme de Fontaine-Martel. Début de la liaison avec Émilie du Châtelet. Publication à Londres des *Lettres philosophiques.*

1734 Condamnation des *Lettres philosophiques* au pilori et au feu. Fuite en Lorraine chez les du Châtelet.

1738 Expériences scientifiques avec Émilie.

1745 Séjour à Versailles grâce à la marquise de Pompadour. Voltaire est nommé historiographe de Louis XV.

1746 Élection et réception à l'Académie. Voltaire est nommé gentilhomme ordinaire de la chambre du roi.

1747 Rédaction de *Zadig.* Difficultés à la cour. Incident chez la reine. Voltaire se cache dans un grenier.

1748 Séjour à Nancy, chez le roi Stanislas. Voltaire surprend Émilie dans les bras de Saint-Lambert.

1749 Émilie meurt en couches.

1750 Installation à Berlin comme chambellan de Frédéric II. Voltaire ne reviendra plus à Paris de vingt-huit ans.

1753 Voltaire se brouille avec Frédéric II et fuit Berlin. Arrestation d'un mois à Francfort. Louis XV lui interdit Paris.

1754 Séjour à Genève.

1755 Installation aux *Délices*, près de la frontière suisse.

1758 Achat de Ferney et de Tournay au président de Brosses. Procès avec le libraire Grasset.
1759 Publication de *Candide*.
1760 Rupture avec Jean-Jacques Rousseau.
1762 Début de l'affaire Calas.
1765 Réhabilitation de Calas.
1766 Exécution du chevalier de La Barre. Tentative pour faire réhabiliter le comte de Lally-Tollendal.
1778 Retour triomphal à Paris. Voltaire est reçu à la loge des Neuf Sœurs. Il décède chez le marquis de Villette. Mort de Rousseau trois jours plus tard. Enterrement clandestin de Voltaire dans l'abbaye de Sellières à 5 heures du matin.

L'auteur remercie Mmes Annie Jay et Béatrice Egémar d'avoir partagé avec lui d'intéressantes anecdotes sur le siècle des Lumières. Sans oublier M. Gérard Meudal, qui lui a suggéré la formule devenue le titre de ce roman.

CET OUVRAGE A ÉTÉ COMPOSÉ
PAR DATAMATICS
ET ACHEVÉ D'IMPRIMER
PAR CPI BUSSIÈRE, SAINT-AMANT-MONTROND (CHER)
POUR LE COMPTE DES ÉDITIONS J.-C. LATTÈS
17, RUE JACOB — 75006 PARIS
EN FÉVRIER 2015

N° d'édition : 02 - N° d'impression : 2014581
Dépôt légal : février 2015
Imprimé en France